JAKOB MICHA

Die Soldaten

EINE KOMÖDIE

MIT EINEM NACHWORT
VON MANFRED WINDFUHR

PHILIPP RECLAM JUN. STUTTGART

Der Text folgt der Erstausgabe: Die Soldaten. Eine Komödie.
Leipzig: Weidmanns Erben und Reich, 1776. – Die Orthographie wurde behutsam modernisiert, die Interpunktion original belassen, ausgenommen eine gewisse Normalisierung der Satzzeichen nach den Sprechern und nach den Regiebemerkungen.

Erläuterungen und Dokumente zu J. M. R. Lenz »Die Soldaten« liegen unter Nr. 8124 in Reclams Universal-Bibliothek vor.

Universal-Bibliothek Nr. 5899
Alle Rechte vorbehalten. © 1957 Philipp Reclam jun., Stuttgart
Gesamtherstellung: Reclam, Ditzingen. Printed in Germany 1981
ISBN 3-15-005899-6

Personen

Wesener, ein Galanteriehändler in Lille.
Frau Wesener, seine Frau.
Marie,
Charlotte, } ihre Töchter.
Stolzius, Tuchhändler in Armantieres.
Seine Mutter.
Desportes, ein Edelmann aus dem französischen
  Hennegau, in französischen Diensten.
Der Graf von Spannheim, sein Obrister.
Pirzel, ein Hauptmann.
Eisenhardt, Feldprediger.
Haudy,
Rammler, } Officiers.
Mary,
Die Gräfin de la Roche.
Ihr Sohn.
Frau Bischof.
Ihre Cousine und andere.

Der Schauplatz ist im französischen Flandern.

Erster Akt

Erste Szene

In Lille.

Marie. Charlotte.

M a r i e *(mit untergestütztem Kopf einen Brief schreibend).* Schwester, weißt du nicht, wie schreibt man Madam, M a ma, t a m m tamm, m e me,

C h a r l o t t e *(sitzt und spinnt).* So 'st recht.

M a r i e. Hör, ich will dir vorlesen, ob's so angeht, wie ich schreibe: »Meine liebe Matamm! Wir sein gottlob glücklich in Lille arriviert«, ist's so recht arriviert, a r ar, r i e w wiert?

C h a r l o t t e. So 'st recht.

M a r i e. »Wir wissen nicht, womit die Gütigkeit nur verdient haben, womit uns überschüttet, wünschte nur imstand zu sein« – ist so recht?

C h a r l o t t e. So lies doch, bis der Verstand aus ist.

M a r i e. Ihro alle die Politessen und Höflichkeit wiederzuerstatten. Weil aber es noch nicht in unsern Kräften steht, als bitten um fernere Continuation.

C h a r l o t t e. Bitten wir um fernere.

M a r i e. Laß doch sein, was fällst du mir in die Rede.

C h a r l o t t e. Wir bitten um fernere Continuation.

M a r i e. Ei, was redst du doch, der Papa schreibt ja auch so. *(Macht alles geschwind wieder zu, und will den Brief versiegeln.)*

C h a r l o t t e. Nu, so les' sie doch aus.

M a r i e. Das übrige geht dich nichts an. Sie will allesfort klüger sein, als der Papa; letzthin sagte der Papa auch, es wäre nicht höflich, wenn man immer wir schriebe, und ich und so dergleichen. *(Siegelt zu.)* Da Steffen *(gibt ihm Geld)* tragt den Brief auf die Post.

C h a r l o t t e. Sie wollt' mir den Schluß nicht vorlesen, gewiß hat sie da was Schönes vor den Herrn Stolzius.

M a r i e. Das geht dich nichts an.

C h a r l o t t e. Nu seht doch, bin ich denn schon schalu

darüber gewesen? Ich hätt' ja ebensogut schreiben können,
als du, aber ich habe dir das Vergnügen nicht berauben
wollen, deine Hand zur Schau zu stellen.

M a r i e. Hör, Lotte, laß mich zufrieden mit dem Stolzius,
ich sag dir's, oder ich geh gleich herunter, und klag's dem
Papa.

C h a r l o t t e. Denk doch, was mach ich mir daraus, er
weiß ja doch, daß du verliebt in ihn bist, und daß du's
nur nicht leiden kannst, wenn ein andrer ihn nur mit
Namen nennt.

M a r i e. Lotte. *(Fängt an zu weinen und läuft herunter.)*

Zweite Szene

In Armentieres.

Stolzius und seine Mutter.

S t o l z i u s *(mit verbundenem Kopf)*. Mir ist nicht wohl,
Mutter!

M u t t e r *(steht eine Weile und sieht ihn an)*. Nu, ich
glaube, Ihm steckt das verzweifelte Mädel im Kopf, darum tut er Ihm so weh. Seit sie weggereist ist, hat Er keine
vergnügte Stunde mehr.

S t o l z i u s. Aus Ernst, Mutter, mir ist nicht recht.

M u t t e r. Nu, wenn du mir gute Worte gibst, so will ich
dir das Herz wohl leichter machen *(Zieht einen Brief
heraus.)*

S t o l z i u s *(springt auf)*. Sie hat Euch geschrieben?

M u t t e r. Da, kannst du's lesen. *(Stolzius reißt ihn ihr aus
der Hand, und verschlingt den Brief mit den Augen.)*
Aber hör, der Obriste will das Tuch ausgemessen haben
für die Regimenter

S t o l z i u s. Laßt mich den Brief beantworten, Mutter.

M u t t e r. Hanns Narr, ich rede vom Tuch, das der Obrist'
bestellt hat für die Regimenter. Kommt denn –

Dritte Szene

In Lille.

Marie. Desportes.

D e s p o r t e s. Was machen Sie denn da, meine göttliche Mademoiselle?

M a r i e *(die ein Buch weiß Papier vor sich liegen hat, auf dem sie krützelte, steckt schnell die Feder hinters Ohr).* O nichts, nichts, gnädiger Herr – *(Lächelnd.)* Ich schreib gar zu gern.

D e s p o r t e s. Wenn ich nur so glücklich wäre, einen von Ihren Briefen, nur eine Zeile von Ihrer schönen Hand zu sehen.

M a r i e. O verzeihen Sie mir, ich schreibe gar nicht schön, ich schäme mich von meiner Schrift zu weisen.

D e s p o r t e s. Alles, was von einer solchen Hand kommt, muß schön sein.

M a r i e. O Herr Baron, hören Sie auf, ich weiß doch, daß das alles nur Komplimenten sein.

D e s p o r t e s *(kniend).* Ich schwöre Ihnen, daß ich noch in meinem Leben nichts Vollkommeners gesehen habe, als Sie sind.

M a r i e *(strickt, die Augen auf ihre Arbeit niedergeschlagen).* Meine Mutter hat mir doch gesagt – sehen Sie, wie falsch Sie sind.

D e s p o r t e s. Ich falsch? Können Sie das von mir glauben, göttliche Mademoiselle? Ist das falsch, wenn ich mich vom Regiment wegstehle, da ich mein Semester doch verkauft habe, und jetzt riskiere, daß, wenn man erfährt, daß ich nicht bei meinen Eltern bin, wie ich vorgab, man mich in Prison wirft, wenn ich wiederkomme, ist das falsch, nur um das Glück zu haben, Sie zu sehen, Vollkommenste?

M a r i e *(wieder auf ihre Arbeit sehend).* Meine Mutter hat mir doch oft gesagt, ich sei noch nicht vollkommen ausgewachsen, ich sei in den Jahren, wo man weder schön noch häßlich ist.

(Wesener tritt herein.)

W e s e n e r. Ei, sieh doch! gehorsamer Diener, Herr Baron, wie kommt's denn, daß wir wieder einmal die Ehre haben. *(Umarmt ihn.)*

D e s p o r t e s. Ich bin nur auf einige Wochen hier, einen

meiner Verwandten zu besuchen, der von Brüssel ange-
kommen ist.

W e s e n e r. Ich bin nicht zu Hause gewesen, werden verzeihen, mein Mariel wird Sie ennuyiert haben; wie befin-
den sich denn die werten Eltern, werden die Tabatieren
doch erhalten haben –

D e s p o r t e s. Ohne Zweifel, ich bin nicht bei ihnen gewesen, wir werden auch noch eine Rechnung miteinander
haben, Vaterchen.

W e s e n e r. O das hat gute Wege, es ist ja nicht das erste-
mal. Die gnädige Frau sind letzten Winter nicht zu unserm
Karneval herabgekommen.

D e s p o r t e s. Sie befindet sich etwas unpaß – Waren viel
Bälle?

W e s e n e r. So, so, es ließ sich noch halten – Sie wissen, ich
komme auf keinen, und meine Töchter noch weniger.

D e s p o r t e s. Aber ist denn das auch erlaubt, Herr Wesener, daß Sie Ihren Töchtern alles Vergnügen so versagen,
wie können sie dabei gesund bleiben?

W e s e n e r. O wenn sie arbeiten, werden sie schon gesund
bleiben. Meinem Mariel fehlt doch, Gott sei Dank, nichts,
und sie hat immer rote Backen.

M a r i e. Ja, das läßt sich der Papa nicht ausreden, und ich
krieg doch so bisweilen so eng um das Herz, daß ich nicht
weiß, wo ich vor Angst in der Stube bleiben soll.

D e s p o r t e s. Sehn Sie, Sie gönnen Ihrer Mademoiselle
Tochter kein Vergnügen, und das wird noch einmal Ursach
sein, daß sie melancholisch werden wird.

W e s e n e r. Ei was, sie hat Vergnügen genug mit ihren
Kamerädinnen, wenn sie zusammen sind, hört man sein
eigen Wort nicht.

D e s p o r t e s. Erlauben Sie mir, daß ich die Ehre haben
kann, Ihre Mademoiselle Tochter einmal in die Komödie
zu führen. Man gibt heut ein ganz neues Stück.

M a r i e. Ach Papa!

W e s e n e r. Nein – Nein, durchaus nicht, Herr Baron!
Nehmen Sie mir's nicht ungnädig, davon kein Wort mehr.
Meine Tochter ist nicht gewohnt, in die Komödie zu gehen,
das würde nur Gerede bei den Nachbarn geben, und mit
einem jungen Herrn von den Milizen dazu.

D e s p o r t e s. Sie sehen, ich bin im Bürgerskleide, wer
kennt mich.

W e s e n e r. Tant pis! ein für allemal, es schickt sich mit keinem jungen Herren; und denn ist es auch noch nicht einmal zum Tisch des Herrn gewesen, und soll schon in die Komödie und die Staatsdame machen. Kurz und gut, ich erlaube es nicht, Herr Baron.

M a r i e. Aber Papa, wenn den Herrn Baron nun niemand kennt?

W e s e n e r *(etwas leise)*. Willstu's Maul halten? Niemand kennt, tant pis wenn ihn niemand kennt. Werden pardonnieren, Herr Baron! so gern als Ihnen den Gefallen tun wollte, in allen andern Stücken haben zu befehlen.

D e s p o r t e s. A propos, lieber Wesener! wollten Sie mir doch nicht einige von Ihren Zitternadeln weisen?

W e s e n e r. Sogleich. *(Geht heraus.)*

D e s p o r t e s. Wissen Sie was, mein englisches, mein göttliches Mariel, wir wollen Ihrem Vater einen Streich spielen. Heut geht es nicht mehr an, aber übermorgen geben sie ein fürtreffliches Stück, »La chercheuse d'esprit«, und die erste Piece ist der Deserteur – haben Sie hier nicht eine gute Bekannte?

M a r i e. Frau Weyher.

D e s p o r t e s. Wo wohnt sie?

M a r i e. Gleich hier, an der Ecke beim Brunnen.

D e s p o r t e s. Da komm ich hin, und da kommen Sie auch hin, so gehn wir miteinander in die Komödie.

(Wesener kommt mit einer großen Schachtel Zitternadeln. Marie winkt Desportes lächelnd zu.)

W e s e n e r. Sehen Sie, da sind zu allen Preisen – Diese zu hundert Talern, diese zu funfzig, diese zu hundertfunfzig, wie es befohlen.

D e s p o r t e s *(besieht eine nach der andern, und weist die Schachtel Marien)*. Zu welcher rieten Sie mir? *(Marie lächelt, und sobald der Vater beschäftigt ist, eine herauszunehmen, winkt sie ihm zu.)*

W e s e n e r. Sehen Sie, die spielt gut, auf meine Ehr'.

D e s p o r t e s. Das ist wahr. *(Hält sie Marien an den Kopf.)* Sehen Sie auf so schönem Braun, was das für eine Wirkung tut. O hören Sie, Herr Wesener, sie steht Ihrer Tochter gar zu schön, wollen Sie mir die Gnade tun, und sie behalten.

W e s e n e r *(gibt sie ihm lächelnd zurück)*. Ich bitte Sie, Herr Baron, das geht nicht an – meine Tochter hat noch

in ihrem Leben keine Präsente von den Herren angenommen.

Marie (*die Augen fest auf ihre Arbeit geheftet*). Ich
würde sie auch zudem nicht haben tragen können, sie ist
zu groß für meine Frisur.

Desportes. So will ich sie meiner Mutter schicken.
(*Wickelt sie sorgfältig ein.*)

Wesener (*indem er die andern einschachtelt, brummt
etwas heimlich zu Marien*). Zitternadel du selber, sollst
in deinem Leben keine auf den Kopf bekommen, das ist
kein Tragen für dich. (*Sie schweigt still und arbeitet fort.*)

Desportes. So empfehle ich mich denn, Herr Wesener!
Eh' ich wegreise, machen wir richtig.

Wesener. Das hat gute Wege, Herr Baron, das hat gute
Wege, sein Sie so gütig, und tun uns einmal wieder die
Ehre an.

Desportes. Wenn Sie mir's erlauben wollen – Adieu
Jungfer Marie! (*Geht ab.*)

Marie. Aber sag Er mir doch, Papa, wie ist Er denn auch?

Wesener. Na, hab ich dir schon wieder nicht recht gemacht. Was verstehst du doch von der Welt, dummes
Keuchel.

Marie. Er hat doch gewiß ein gutes Gemüt, der Herr
Baron.

Wesener. Weil er dir ein Paar Schmeicheleien und so
und so – Einer ist so gut wie der andere, lehr du mich die
jungen Milizen nit kennen. Da laufen sie in alle Aubergen
und in alle Kaffeehäuser, und erzählen sich, und eh' man
sich's versieht, wips ist ein armes Mädel in der Leute
Mäuler. Ja, und mit der und der Jungfer ist's auch nicht
zum besten bestellt, und die und die kenne ich auch, und
die hätt' ihn auch gern –

Marie. Papa. (*Fängt an zu weinen.*) Er ist auch immer so
grob.

Wesener (*klopft sie auf die Backen*). Du mußt mir das
so übel nicht nehmen, du bist meine einzige Freude, Narr,
darum trag ich auch Sorge für dich.

Marie. Wenn Er mich doch nur wollte für mich selber
sorgen lassen. Ich bin doch kein klein Kind mehr.

Vierte Szene

In Armentieres.

Der Obriste Graf Spannheim am Tisch mit seinem Feld-
prediger, einem jungen Grafen, seinem Vetter, und dessen
Hofmeister, Haudy, Untermajor, Mary und andern Officiers.

D e r   j u n g e   G r a f. Ob wir nicht bald wieder eine gute
Truppe werden herbekommen?

H a u d y. Das wäre zu wünschen, besonders für unsere
junge Herren. Man sagt, Godeau hat herkommen wollen.

H o f m e i s t e r. Es ist doch in der Tat nicht zu leugnen,
daß die Schaubühne eine fast unentbehrliche Sache für
eine Garnison ist, c'est à dire eine Schaubühne, wo Ge-
schmack herrscht, wie zum Exempel auf der französischen.

E i s e n h a r d t. Ich sehe nicht ab, wo der Nutzen stecken
sollte.

O b r i s t e r. Das sagen Sie wohl nur so, Herr Pastor, weil
Sie die beiden weißen Läppgen unterm Kinn haben, ich
weiß, im Herzen denken Sie anders.

E i s e n h a r d t. Verzeihen Sie, Herr Obriste! ich bin nie
Heuchler gewesen, und wenn das ein notwendiges Laster
für unsern Stand wäre, so dächt' ich, wären doch die
Feldprediger davon wohl ausgenommen, da sie mit ver-
nünftigern Leuten zu tun haben. Ich liebe das Theater
selber, und gehe gern hinein, ein gutes Stück zu sehen,
aber deswegen glaube ich noch nicht, daß es ein so heil-
sames Institut für das Corps Officiers sei.

H a u d y. Aber um Gottes willen, Herr Pfaff oder Herr
Pfarr, wie Sie da heißen, sagen Sie mir einmal, was für
Unordnungen werden nicht vorgebeugt oder abgehalten
durch die Komödie. Die Officiers müssen doch einen Zeitvertreib haben?

E i s e n h a r d t. Mit aller Mäßigung, Herr Major! Sagen
Sie lieber, was für Unordnungen werden nicht eingeführt
unter den Officiers durch die Komödie.

H a u d y. Das ist nun wieder so in den Tag hinein räsoniert. Kurz und gut, Herr, *(lehnt sich mit beiden Ellen-*
bogen auf den Tisch) ich behaupte Ihnen hier, daß eine
einzige Komödie, und wenn's die ärgste Farce wäre, zehn-
mal mehr Nutzen, ich sage nicht unter den Officiers
allein, sondern im ganzen Staat, angerichtet hat, als alle

Predigten zusammengenommen, die Sie und Ihresgleichen in Ihrem ganzen Leben gehalten haben und halten werden.

O b r i s t e r *(winkt Haudy unwillig).* Major!

E i s e n h a r d t. Wenn ich mit Vorurteilen für mein Amt eingenommen wäre, Herr Major, so würde ich böse werden. So aber wollen wir alles das beiseite setzen, weil ich weder Sie noch viele von den Herren für fähig halte, den eigentlichen Nutzen unsers Amts in Ihrem ganzen Leben beurteilen zu können, und wollen nur bei der Komödie bleiben, und den erstaunenden Nutzen betrachten, den sie für die Herren vom Corps haben soll. Ich bitte Sie, beantworten Sie mir eine einzige Frage, was lernen die Herren dort?

M a r y. Ei was, muß man denn immer lernen, wir amüsieren uns, ist das nicht genug.

E i s e n h a r d t. Wollte Gott, daß Sie sich bloß amüsierten, daß Sie nicht lernten! So aber ahmen Sie nach, was Ihnen dort vorgestellt wird, und bringen Unglück und Fluch in die Familien.

O b r i s t e r. Lieber Herr Pastor, Ihr Enthusiasmus ist löblich, aber er schmeckt nach dem schwarzen Rock, nehmen Sie mir's nicht übel. Welche Familie ist noch je durch einen Officier unglücklich geworden? Daß ein Mädchen einmal ein Kind kriegt, das es nicht besser haben will.

H a u d y. Eine Hure wird immer eine Hure, sie gerate unter welche Hände sie will; wird's keine Soldatenhure, so wird's eine Pfaffenhure.

E i s e n h a r d t. Herr Major, es verdrießt mich, daß Sie immer die Pfaffen mit ins Spiel mengen, weil Sie mich dadurch verhindern, Ihnen freimütig zu antworten. Sie könnten denken, es mische sich persönliche Bitterkeit in meine Reden, und wenn ich in Feuer gerate, so schwöre ich Ihnen doch, daß es bloß die Sache ist, von der wir sprechen, nicht Ihre Spöttereien und Anzüglichkeiten über mein Amt. Das kann durch alle dergleichen witzige Einfälle weder verlieren noch gewinnen.

H a u d y. Na, so reden Sie, reden Sie, schwatzen Sie, dafür sind wir ja da, wer verbietet es Ihnen?

E i s e n h a r d t. Was Sie vorhin gesagt haben, war ein Gedanke, der eines Nero oder Oglei Oglu Seele würdig gewesen wäre, und auch da bei seiner ersten Erscheinung vielleicht Grausen würde verursacht haben. Eine Hure

wird immer eine Hure. Kennen Sie das andere Geschlecht
so genau?

H a u d y. Herr, Sie werden es mich nicht kennen lehren.

E i s e n h a r d t. Sie kennen es von den Meisterstücken
Ihrer Kunst vielleicht; aber erlauben Sie mir, Ihnen zu
sagen, eine Hure wird niemals eine Hure, wenn sie nicht
dazu gemacht wird. Der Trieb ist in allen Menschen, aber
jedes Frauenzimmer weiß, daß sie dem Triebe ihre ganze
künftige Glückseligkeit zu danken hat, und wird sie die
aufopfern, wenn man sie nicht drum betrügt?

H a u d y. Red ich denn von honetten Mädchen?

E i s e n h a r d t. Eben die honetten Mädchen müssen zittern
vor Ihren Komödien, da lernen Sie die Kunst, sie malhonett zu machen.

M a r y. Wer wird so schlecht denken.

H a u d y. Der Herr hat auch ein verfluchtes Maul über die
Officiers. Element, wenn mir ein anderer das sagte. Meint
Er Herr denn, wir hören auf Honettehommes zu sein, so-
bald wir in Dienste treten.

E i s e n h a r d t. Ich wünsche Ihnen viel Glück zu diesen
Gesinnungen. Solang ich aber noch entretenierte Mätressen
und unglückliche Bürgerstöchter sehen werde, kann ich
meine Meinung nicht zurücknehmen.

H a u d y. Das verdiente einen Nasenstüber.

E i s e n h a r d t *(steht auf)*. Herr, ich trag einen Degen.

O b r i s t e r. Major, ich bitt Euch – Herr Eisenhardt hat
nicht unrecht, was ihr wollt Ihr von ihm. Und der erste, der
ihm zu nahe kommt – setzen Sie sich, Herr Pastor, er soll
Ihnen Genugtuung geben. *(Haudy geht hinaus.)* Aber Sie
gehen auch zu weit, Herr Eisenhardt, mit alledem. Es ist
kein Officier, der nicht wissen sollte, was die Ehre von
ihm fodert.

E i s e n h a r d t. Wenn er Zeit genug hat, dran zu denken.
Aber werden ihm nicht in den neuesten Komödien die
gröbsten Verbrechen gegen die heiligsten Rechte der Väter
und Familien unter so reizenden Farben vorgestellt, den
giftigsten Handlungen so der Stachel genommen, daß ein
Bösewicht dasteht, als ob er ganz neulich vom Himmel
gefallen wäre. Sollte das nicht aufmuntern, sollte das
nicht alles ersticken, was das Gewissen aus der Eltern
Hause mitgebracht haben kann. Einen wachsamen Vater
zu betrügen, oder ein unschuldig Mädchen in Lastern zu

unterrichten, das sind die Preisaufgaben, die dort auf-
gelöst werden.

H a u d y *(im Vorhause mit andern Officiers: da die Tür
aufgeht).* Der verfluchte Schwarzrock –

O b r i s t e r. Laßt uns ins Kaffeehaus gehn, Pfarrer, Sie
sind mir die Revanche im Schach schuldig – und Adjutant!
wollten Sie doch den Major Haudy für heut bitten, nicht
aus seiner Stube zu gehen. Sagen Sie ihm, ich werde ihm
morgen früh seinen Degen selber wiederbringen.

Fünfte Szene

In Lille.

*Wesener sitzt und speist zu Nacht mit seiner Frau und älte-
sten Tochter. Marie tritt ganz geputzt herein.*

M a r i e *(fällt ihn um den Hals).* Ach Papa! Papa!

W e s e n e r *(mit vollem Munde).* Was ist's, was fehlt dir?

M a r i e. Ich kann's Ihm nicht verhehlen, ich bin in der
Komödie gewesen. Was das für Dings ist.

W e s e n e r *(rückt seinen Stuhl vom Tisch weg, und kehrt
das Gesicht ab).*

M a r i e. Wenn er gesehen hätte, was ich gesehen habe, er
würde wahrhaftig nicht böse sein, Papa. *(Setzt sich ihm
auf den Schoß.)* Lieber Papa, was das für Dings alles
durcheinander ist, ich werde die Nacht nicht schlafen können für lauter Vergnügen. Der gute Herr Baron!

W e s e n e r. Was, der Baron hat dich in die Komödie ge-
führt?

M a r i e *(etwas furchtsam).* Ja, Papa – lieber Papa!

W e s e n e r *(stößt sie von seinem Schoß).* Fort von mir, du
Luder, – willst die Mätresse vom Baron werden?

M a r i e *(mit dem Gesicht halb abgekehrt, halb weinend).*
Ich war bei der Weyhern – und da stunden wir an der
Tür – *(stotternd)* und da red't' er uns an.

W e s e n e r. Ja, lüg nur, lüg nur dem Teufel ein Ohr ab
– geh mir aus den Augen, du gottlose Seele.

C h a r l o t t e. Das hätt' ich dem Papa wollen voraussagen,
daß es so gehen würde. Sie haben immer Heimlichkeiten
miteinander gehabt, sie und der Baron.

M a r i e *(weinend).* Willst du das Maul halten.

C h a r l o t t e. Denk doch, vor dir gewiß nicht; will noch kommandieren dazu, und führt sich so auf.

M a r i e. Nimm dich nur selber in acht mit deinem jungen Herrn Heidevogel. Wenn ich mich so schlecht aufführte, als du.

W e s e n e r. Wollt ihr schweigen? *(Zu Mariel.)* Fort in deine Kammer, den Augenblick, du sollst heut nicht zu Nacht essen — schlechte Seele! *(Marie geht fort.)* Und schweig du auch nur, du wirst auch nicht engelrein sein. Meinst du, kein Mensch sieht's, warum der Herr Heidevogel so oft ins Haus kommt?

C h a r l o t t e. Das ist alles das Mariel schuld. *(Weint.)* Die gottsvergeßne Alleweltshure will honette Mädels in Blame bringen, weil sie so denkt.

W e s e n e r *(sehr laut).* Halt's Maul! Marie hat ein viel zu edles Gemüt, als daß sie von dir reden sollte, aber du schalusierst auf deine eigene Schwester; weil du nicht so schön bist als sie, sollt'st du zum wenigsten besser denken. Schäm dich — *(Zur Magd.)* Nehmt ab, ich esse nichts mehr. *(Schiebt Teller und Serviette fort, wirft sich in einen Lehnstuhl, und bleibt in tiefen Gedanken sitzen.)*

Sechste Szene

Mariens Zimmer.

Sie sitzt auf ihrem Bette, hat die Zitternadel in der Hand, und spiegelt damit, in den tiefsten Träumereien. Der Vater tritt herein, sie fährt auf und sucht die Zitternadel zu verbergen.

M a r i e. Ach Herr Jesus — —

W e s e n e r. Na, so mach Sie doch das Kind nicht. *(Geht einigemal auf und ab, dann setzt er sich zu ihr.)* Hör, Mariel! du weißt, ich bin dir gut, sei du nur recht aufrichtig gegen mich, es wird dein Schade nicht sein. Sag mir, hat dir der Baron was von der Liebe vorgesagt?

M a r i e *(sehr geheimnisvoll).* Papa! — er ist verliebt in mich, das ist wahr. Sieht Er einmal, diese Zitternadel hat er mir auch geschickt.

W e s e n e r. Was tausend Hagelwetter — Potz Mord noch einmal, *(nimmt ihr die Zitternadel weg)* hab ich dir nicht verboten —

M a r i e. Aber, Papa, ich kann doch so grob nicht sein, und
es ihm abschlagen. Ich sag Ihm, er hat getan, wie wütend,
als ich's nicht annehmen wollte, *(läuft nach dem Schrank)*
hier sind auch Verse, die er auf mich gemacht hat. *(Reicht
ihm ein Papier.)*

W e s e n e r *(liest laut).*

> Du höchster Gegenstand von meinen reinen Trieben.
> Ich bet dich an, ich will dich ewig lieben.
> Weil die Versicherung von meiner Lieb und Treu,
> Du allerschönstes Licht, mit jedem Morgen neu.

Du allerschönstes Licht, ha, ha, ha.

M a r i e. Wart Er, ich will Ihm noch was weisen, er hat
mir auch ein Herzchen geschenkt mit kleinen Steinen be-
setzt in einem Ring. *(Wieder zum Schrank. Der Vater
besieht es gleichgültig.)*

W e s e n e r *(liest noch einmal).* Du höchster Gegenstand
von meinen reinen Trieben. *(Steckt die Verse in die
Tasche.)* Er denkt doch honett, seh ich. Hör aber, Mariel,
was ich dir sage, du mußt kein Präsent mehr von ihm
annehmen. Das gefällt mir nicht, daß er dir so viele Präsente macht.

M a r i e. Das ist sein gutes Herz, Papa.

W e s e n e r. Und die Zitternadel gib mir her, die will ich
ihm zurückgeben. Laß mich nur machen, ich weiß schon,
was zu deinem Glück dient, ich hab länger in der Welt
gelebt, als du, mein' Tochter, und du kannst nur immer
allesfort mit ihm in die Komödie gehn, nur nimm jedes-
mal die Madam Weyher mit, und laß dir nur immer
nichts davon merken, als ob ich davon wüßte, sondern
sag nur, daß er's recht geheimhält, und daß ich sehr böse
werden würde, wenn ich's erführe. Nur keine Präsente
von ihm angenommen, Mädel, um Gottes willen!

M a r i e. Ich weiß wohl, daß der Papa mir nicht übel raten
wird. *(Küßt ihm die Hand.)* Er soll sehn, daß ich Seinem
Rat in allen Stücken folgen werde. Und ich werde Ihm
alles wiedererzählen, darauf kann Er sich verlassen.

W e s e n e r. Na, so denn. *(Küßt sie.)* Kannst noch einmal
gnädige Frau werden, närrisches Kind. Man kann nicht
wissen, was einem manchmal für ein Glück aufgehoben
ist.

M a r i e. Aber, Papa, *(etwas leise)* was wird der arme Stolzius sagen?

W e s e n e r. Du mußt darum den Stolzius nicht so gleich
abschrecken, hör einmal. – Nu, ich will dir schon sagen,
wie du den Brief an ihn einzurichten hast. Unterdessen
schlaf Sie gesund, Meerkatze.

M a r i e *(küßt ihm die Hand).* Gute Nacht, Pappuschka! –
*(Da er fort ist, tut sie einen tiefen Seufzer, und tritt ans
Fenster, indem sie sich aufschnürt.)* Das Herz ist mir so
schwer. Ich glaube, es wird gewittern die Nacht. Wenn es
einschlüge – *(Sieht in die Höhe, die Hände über ihre
offene Brust schlagend.)* Gott! was hab ich denn Böses
getan? – – Stolzius – ich lieb dich ja noch – aber wenn ich
nun mein Glück besser machen kann – und Papa selber
mir den Rat gibt, *(zieht die Gardine vor)* trifft mich's,
so trifft mich's, ich sterb nicht anders als gerne. *(Löscht
ihr Licht aus.)*

Zweiter Akt

Erste Szene

In Armentieres.

Haudy und Stolzius spazieren an der Lys.

H a u d y. Er muß sich dadurch nicht gleich ins Bockshorn
jagen lassen, guter Freund! ich kenne den Desportes, er
ist ein Spitzbube, der nichts sucht, als sich zu amüsieren,
er wird Ihm darum seine Braut nicht gleich abspenstig
machen wollen.

S t o l z i u s. Aber das Gerede, Herr Major! Stadt und
Land ist voll davon. Ich könnte mich im Augenblick ins
Wasser stürzen, wenn ich dem Ding nachdenke.

H a u d y *(faßt ihn unterm Arm).* Er muß sich das nicht so
zu Herzen gehn lassen, zum Teufel! Man muß viel über
sich reden lassen in der Welt. Ich bin Sein bester Freund,
das kann Er versichert sein, und ich würd' es Ihm gewiß
sagen, wenn Gefahr dabei wäre. Aber es ist nichts, Er
bild't sich das nur so ein, mach Er nur, daß die Hochzeit
noch diesen Winter sein kann, solange wir noch hier in
Garnison liegen, und macht Ihm der Desportes alsdenn
die geringste Unruhe, so bin ich Sein Mann, es soll Blut

kosten, das versichere ich Ihn. Unterdessen kehr Er sich
ans Gerede nicht, Er weiß wohl, die Jungfern, die am
bravsten sind, von denen wird das meiste dumme Zeug
räsoniert, das ist ganz natürlich, daß sich die jungen Fats
zu rächen suchen, die nicht haben ankommen können.

Zweite Szene

Das Kaffeehaus.

*Eisenhardt und Pirzel im Vordergrunde, auf einem Sofa
und trinken Kaffee. Im Hintergrunde eine Gruppe Officiers
schwatzend und lachend.*

E i s e n h a r d t *(zu Pirzel).* Es ist lächerlich, wie die Leute
alle um den armen Stolzius herschwärmen, wie Fliegen
um einen Honigkuchen. Der zupft ihn da, der stößt ihn
hier, der geht mit ihm spazieren, der nimmt ihn mit ins
Cabriolet, der spielt Billard mit ihm, wie Jagdhunde die
Witterung haben. Und wie augenscheinlich sein Tuchhan-
del zugenommen hat, seitdem man weiß, daß er die schöne
Jungfer heuraten wird, die neulich hier durchgegangen.
P i r z e l *(faßt ihn an die Hand mit viel Energie).* Woher
kommt's, Herr Pfarrer? Daß die Leute **nicht denken.**
*(Steht auf in einer sehr malerischen Stellung, halb nach
der Gruppe zugekehrt.)* Es ist ein vollkommenstes Wesen.
Dieses vollkommenste Wesen kann ich entweder beleidi-
gen, oder nicht beleidigen.
E i n e r   a u s   d e r   G e s e l l s c h a f t *(kehrt sich um).*
Nun fängt er schon wieder an?
P i r z e l *(sehr eifrig).* Kann ich es beleidigen, *(kehrt sich
ganz gegen die Gesellschaft)* so würde es aufhören, das
Vollkommenste zu sein.
E i n   a n d r e r   a u s   d e r   G e s e l l s c h a f t. Ja, ja,
Pirzel, du hast recht, du hast ganz recht.
P i r z e l *(kehrt sich geschwind zum Feldprediger).* Kann
ich es nicht beleidigen – *(Faßt ihn an die Hand, und
bleibt stockstill in tiefen Gedanken.)*
Z w e i,   d r e i   a u s   d e m   H a u f e n. Pirzel, zum Teu-
fel! redst du mit uns?
P i r z e l *(kehrt sich sehr ernsthaft zu ihnen).* Meine liebe
Kameraden, ihr seid verehrungswürdige Geschöpfe Got-

tes, also kann ich euch nicht anders als respektieren und hochachten, ich bin auch ein Geschöpf Gottes, also müßt ihr mich gleichfalls in Ehren halten.

E i n e r. Das wollten wir dir auch raten.

P i r z e l *(kehrt sich wieder zum Pfarrer).* Nun –

E i s e n h a r d t. Herr Hauptmann, ich bin in allen Stücken Ihrer Meinung. Nur war die Frage, wie es den Leuten in den Kopf gebracht werden könnte, vom armen Stolzius abzulassen, und nicht Eifersucht und Argwohn in zwei Herzen zu werfen, die vielleicht auf ewig einander glücklich gemacht haben würden.

P i r z e l *(der sich mittlerweile gesetzt hatte, steht wieder sehr hastig auf).* Wie ich Ihnen die Ehre und das Vergnügen hatte zu sagen, Herr Pfarrer! das macht, weil die Leute nicht denken. Denken, denken, was der Mensch ist, das ist ja meine Rede. *(Faßt ihn an die Hand.)* Sehen Sie, das ist Ihre Hand, aber was ist das, Haut, Knochen, Erde, *(klopft ihm auf den Puls)* da, da steckt es, das ist nur die Scheide, da steckt der Degen drein, im Blut, im Blut – *(Sieht sich plötzlich herum, weil Lärm wird.)*

(Haudy tritt herein mit großem Geschrei.)

H a u d y. Leute, nun hab ich ihn, es ist der schrimmste Herrgott von der Welt. *(Brüllt entsetzlich.)* Madam Roux! gleich lassen Sie Gläser schwenken, und machen uns guten Punsch zurecht. Er wird gleich hier sein, ich bitte euch, geht mir artig mit dem Menschen um.

E i s e n h a r d t *(bückt sich vor).* Wer, Herr Major, wenn's erlaubt ist –

H a u d y *(ohne ihn anzusehen).* Nichts, ein guter Freund von mir.

(Die ganze Gesellschaft drängt sich um Haudy.)

E i n e r. Hast du ihn ausgefragt, wird die Hochzeit bald sein?

H a u d y. Leute, ihr müßt mich schaffen lassen, sonst verderbt ihr mir den ganzen Handel. Er hat ein Zutrauen zu mir, sag ich euch, wie zum Propheten Daniel, und wenn einer von euch sich darein mengt, so ist alles verschissen. Er ist ohnedem eifersüchtig genug, das arme Herz; der Desportes macht ihm grausam zu schaffen, und ich hab ihn mit genauer Not gehalten, daß er nicht ins Wasser sprang. Mein Pfiff ist, ihm Zutrauen zu seinem Weibe beizubringen, er muß sie wohl kennen, daß sie keine von

den sturmfesten ist. Das sei euch also zur Nachricht, daß
ihr mir den Menschen nicht verderbt.

R a m m l e r. Was willst du doch reden, ich kenn ihn besser
als du, er hat eine feine Nase, das glaub du mir nur.

H a u d y. Und du eine noch feinere, merk ich.

R a m m l e r. Du meinst, das sei das Mittel, sich bei ihm
einzuschmeicheln, wenn man ihm Gutes von seiner Braut
sagt. Du irrst dich, ich kenn ihn besser, grad das Gegenteil. Er stellt sich, als ob er dir's glaubte, und schreibt es
sich hinter die Ohren. Aber wenn man ihm seine Frau
verdächtig macht, so glaubt er, daß wir's aufrichtig mit
ihm meinen –

H a u d y. Mit deiner erhabenen Politik, Rotnase! Willst du
dem Kerl den Kopf toll machen, meinst du, er hat nicht
Grillen genug drin. Und wenn er sie sitzen läßt, oder sich
aufhängt – so hast du's darnach. Nicht wahr, Herr Pfarrer, eines Menschen Leben ist doch kein Pfifferling?

E i s e n h a r d t. Ich menge mich in Ihren Kriegsrat nicht.

H a u d y. Sie müssen mir aber doch recht geben?

P i r z e l. Meine werten Brüder und Kameraden, tut niemand unrecht. Eines Menschen Leben ist ein Gut, das er
sich nicht selber gegeben hat. Nun aber hat niemand ein
Recht auf ein Gut, das ihm von einem andern ist gegeben
worden. Unser Leben ist ein solches Gut –

H a u d y *(faßt ihn an die Hand)*. Ja, Pirzel, du bist der
bravste Mann, den ich kenne, *(setzt sich zwischen ihn und
den Pfarrer)* aber der Jesuit *(den Pfarr umarmend)* der
gern selber möchte Hahn im Korbe sein.

R a m m l e r *(setzt sich auf die andere Seite zum Pfarrer,
und zischelt ihm in die Ohren)*. Herr Pfarrer, Sie sollen
nur sehen, was ich dem Haudy für einen Streich spielen
werde.

(Stolzius tritt herein. Haudy springt auf.)

H a u d y. Ach, mein Bester! kommen Sie, ich habe ein gut
Glas Punsch für uns bestellen lassen, der Wind hat uns
vorhin so durchgeweht. *(Führt ihn an einen Tisch.)*

S t o l z i u s *(den Hut abziehend zu den übrigen)*. Meine
Herren, Sie werden mir vergeben, daß ich so dreist bin,
auf Ihr Kaffeehaus zu kommen, es ist auf Befehl des
Herrn Major geschehen.

*(Alle ziehen die Hüte ab, sehr höflich, und schneiden Kom-
plimenten. Rammler steht auf, und geht näher.)*

R a m m l e r. O gehorsamer Diener, es ist uns eine besondere Ehre.

S t o l z i u s *(rückt noch einmal den Hut, etwas kaltsinnig,
und setzt sich zu Haudy).* Es geht ein so scharfer Wind
draußen, ich meine, wir werden Schnee bekommen.

H a u d y *(eine Pfeife stopfend).* Ich glaub es auch. – Sie
rauchen doch, Herr Stolzius?

S t o l z i u s. Ein wenig.

R a m m l e r. Ich weiß nicht, wo denn unser Punsch bleibt,
Haudy, *(steht auf)* was die verdammte Roux so lange
macht.

H a u d y. Bekümmere dich um deine Sachen. *(Brüllt mit
einer erschrecklichen Stimme.)* Madam Roux! Licht her
– und unser Punsch, wo bleibt er?

S t o l z i u s. O mein Herr Major, als ich Ihnen Ungelegen-
heit machen sollte, würd' es mir sehr von Herzen leid
tun.

H a u d y. Ganz und gar nicht, lieber Freund, *(präsentiert
ihm die Pfeife)* die Lysluft kann doch wahrhaftig der
Gesundheit nicht gar zu zuträglich sein.

R a m m l e r *(setzt sich zu ihnen an den Tisch).* Haben Sie
neulich Nachrichten aus Lille gehabt. Wie befindet sich
Ihre Jungfer Braut. *(Haudy macht ihm ein Paar fürchter-
liche Augen, er bleibt lächelnd sitzen.)*

S t o l z i u s *(verlegen).* Zu Ihren Diensten, mein Herr –
aber ich bitte gehorsamst um Verzeihung, ich weiß noch
von keiner Braut, ich habe keine.

R a m m l e r. Die Jungfer Wesener aus Lille, ist sie nicht
Ihre Braut? Der Desportes hat es mir doch geschrieben,
daß Sie verlobt wären.

S t o l z i u s. Der Herr Desportes müßte es denn besser wissen, als ich.

H a u d y *(rauchend).* Der Rammler schwatzt immer in die
Welt hinein, ohne zu wissen, was er red't und was er
will.

E i n e r a u s d e m H a u f e n. Ich versichere Ihnen, Herr
Stolzius, Desportes ist ein ehrlicher Mann.

S t o l z i u s. Daran habe ich ja gar nicht gezweifelt.

H a u d y. Ihr Leute wißt viel vom Desportes. Wenn ihn
ein Mensch kennen kann, so muß ich es doch wohl sein, er
ist mir von seiner Mutter rekommandiert worden, als er
ans Regiment kam, und hat nichts getan, ohne mich zu

Rat zu ziehen. Aber ich versichere Ihnen, Herr Stolzius,
daß Desportes ein Mensch ist, der Sentiment und Religion
hat.

R a m m l e r. Und wir sind Schulkameraden miteinander
gewesen. Keinen blödern Menschen mit dem Frauenzimmer habe ich noch in meinem Leben gesehen.

H a u d y. Das ist wahr, darin hat er recht. Er ist nicht im-
stande, ein Wort hervorzubringen, sobald ihn ein Frauenzimmer freundlich ansieht.

R a m m l e r *(mit einer pedantisch plumpen Verstellung).*
Ich glaube in der Tat – wo mir recht ist – ja es ist wahr,
er korrespondiert noch mit ihr, ich habe den Tag seiner
Abreise einen Brief gelesen, den er an eine Mademoiselle
in Brüssel schrieb, in die er ganz zum Erstaunen verliebt
war. Er wird sie wohl nun bald heuraten, denke ich.

E i n e r   a u s   d e r   G e s e l l s c h a f t. Ich kann nur nicht
begreifen, was er so lang in Lille macht.

H a u d y. Wetter Element, wo bleibt unser Punsch denn
– Madam Roux!!!

R a m m l e r. In Lille? O das kann euch niemand erklären,
als ich. Denn ich weiß um alle seine Geheimnisse. Aber es
läßt sich nicht öffentlich sagen.

H a u d y *(verdrüßlich).* So sag heraus, Narre! was hältst
du hinter dem Berge.

R a m m l e r *(lächelnd).* Ich kann euch nur so viel sagen,
daß er eine Person dort erwartet, mit der er in der Stille
fortreisen will.

S t o l z i u s *(steht auf und legt die Pfeife weg).* Meine
Herren, ich habe die Ehre mich Ihnen zu empfehlen.

H a u d y *(erschrocken).* Was ist – wohin liebster Freund –
wir werden den Augenblick bekommen.

S t o l z i u s. Sie nehmen mir's nicht übel – mir ist den
Moment etwas zugestoßen.

H a u d y. Was denn? – Der Punsch wird Ihnen guttun, ich
versichere Sie.

S t o l z i u s. Daß ich mich nicht wohl befinde, lieber Herr
Major. Sie werden mir verzeihen – erlauben Sie – aber
ich kann keinen Augenblick länger hierbleiben, oder ich
falle um –

H a u d y. Das ist die Rheinluft – oder war der Tabak zu
stark?

S t o l z i u s. Leben Sie wohl. *(Geht wankend ab.)*

H a u d y. Da haben wir's. Mit euch verfluchten Arsch-
gesichtern!

R a m m l e r. Ha, ha, ha, ha – *(Besinnt sich eine Weile,*
herumgehend.) Ihr dummen Teufels, seht ihr denn nicht,
daß ich das alles mit Fleiß angestellt habe – Herr Pfarrer,
hab ich's Ihnen nicht gesagt?

E i s e n h a r d t. Lassen Sie mich aus dem Spiel, ich bitte Sie.

H a u d y. Du bist eine politische Gans, ich werde dir das
Genick umdrehen.

R a m m l e r. Und ich brech dir Arm und Bein entzwei,
und werf sie zum Fenster hinaus. *(Spaziert throsonisch*
umher.) Ihr kennt meine Finten noch nicht.

H a u d y. Ja du steckst voll Finten, wie ein alter Pelz voll
Läuse. Du bist ein Kerl zum Speien mit deiner Politik.

R a m m l e r. Und ich pariere, daß ich dich und all euch
Leute hier beim Stolzius in Sack stecke, wenn ich's darauf
ansetze.

H a u d y. Hör, Rammler! es ist nur schade, daß du ein
bißchen zu viel Verstand bekommen hast, denn er macht
sich selber zunicht, es geht dir, wie einer allzuvollen
Bouteille, die man umkehrt, und doch kein Tropfen her-
ausläuft, weil einer dem andern im Wege steht. Geh, geh,
wenn ich eine Frau habe, geb ich dir die Erlaubnis, bei ihr
zu schlafen, wenn du sie dahin bringen kannst.

R a m m l e r *(sehr schnell auf und ab gehend).* Ihr sollt nur
sehen, was ich aus dem Stolzius noch machen will. *(Ab.)*

H a u d y. Der Kerl macht einem das Gallenfieber mit seiner Dummheit. Er kann nichts als andern Leuten das
Konzept verderben.

E i n e r. Das ist wahr, er mischt sich in alles.

M a r y. Er hat den Kopf immer voll Intrigen und Ränken,
und meint, andere Leute können ebensowenig darohne
leben, als er. Letzt sagt' ich dem Reitz ins Ohr, er möcht'
mir doch auf morgen seine Sporen leihen, ist er mir nicht
den ganzen Tag nachgegangen, und hat mich um Gottes
willen gebeten, ich möcht' ihm sagen, was wir vorhätten.
Ich glaub, es ist ein Staatsmann an ihm verdorben.

E i n a n d r e r. Neulich stellt' ich mich an ein Haus, einen
Brief im Schatten zu lesen, er meinte gleich, es wär' ein
Liebesbrief, der mir aus dem Hause wär' herabgeworfen
worden, und ist die ganze Nacht bis um zwölf Uhr um
das Haus herumgeschlichen. Ich dachte, ich sollte auf-

bersten für Lachen, es wohnt ein alter Jude von sechzig Jahren in dem Hause, und er hatte überall an die Straße Schildwachten ausgestellt, die mir auflauren sollten, und ihm ein Zeichen geben, wenn ich hereinginge. Ich habe einem von den Kerls mit drei Livres das ganze Geheimnis abgekauft; ich dacht', ich sollte rasend werden.

A l l e. Ha, ha, ha, und er meint', es sei ein hübsch Mädchen drin.

M a r y. Hört einmal, wollt ihr einen Spaß haben, der echt ist, so wollen wir den Juden avertieren, es sei einer da, der Absichten auf sein Geld habe.

H a u d y. Recht, recht, daß euch die Schwerenot, wollen wir gleich zu ihm gehen. Das soll uns eine Komödie geben, die ihresgleichen nicht hat. Und du, Mary, bring ihn nur immer mehr auf die Gedanken, daß da die schönste Frau in ganz Armentieres wohnt, und daß Gilbert dir anvertraut hat, er werde diese Nacht zu ihr gehn.

Dritte Szene

In Lille.

Marie weinend auf einem Lehnstuhl, einen Brief in der Hand. Desportes tritt herein.

D e s p o r t e s. Was fehlt Ihnen, mein goldnes Mariel, was haben Sie?

M a r i e *(will den Brief in die Tasche stecken).* Ach –

D e s p o r t e s. Ums Himmels willen, was ist das für ein Brief, der Ihnen Tränen verursachen kann?

M a r i e *(etwas leiser).* Sehen Sie nur, was mir der Mensch, der Stolzius, schreibt, recht als ob er ein Recht hätte, mich auszuschelten. *(Weint wieder.)*

D e s p o r t e s *(liest stille).* Das ist ein impertinenter Esel. Aber sagen Sie mir, warum wechseln Sie Briefe mit solch einem Hundejungen?

M a r i e *(trocknet sich die Augen).* Ich will Ihnen nur sagen, Herr Baron, es ist, weil er angehalten hat um mich, und ich ihm schon so gut als halb versprochen bin.

D e s p o r t e s. Er um Sie angehalten? Wie darf sich der Esel das unterstehen? Warten Sie, ich will ihm den Brief beantworten.

Marie. Ja, mein lieber Herr Baron! Und Sie können nicht glauben, was ich mit meinem Vater auszustehen habe, er liegt mir immer in den Ohren, ich soll mir mein Glück nicht verderben.

Desportes. Ihr Glück – mit solch einem Lümmel. Was denken Sie doch, liebstes Mariel, und was denkt Ihr Vater? Ich kenne ja des Menschen seine Umstände. Und kurz und gut, Sie sind für keinen Bürger gemacht.

Marie. Nein, Herr Baron, davon wird nichts, das sind nur leere Hoffnungen, mit denen Sie mich hintergehen. Ihre Familie wird das nimmermehr zugeben.

Desportes. Das ist meine Sorge. Haben Sie Feder und Dinte, ich will dem Lumpenhund seinen Brief beantworten, warten Sie einmal.

Marie. Nein, ich will selber schreiben. (*Setzt sich an den Tisch, und macht das Schreibzeug zurecht, er stellt sich ihr hinter die Schulter.*)

Desportes. So will ich Ihnen diktieren.

Marie. Das sollen Sie auch nicht. (*Schreibt.*)

Desportes (*liest ihr über die Schulter*). Monsieur – Flegel setzen Sie dazu. (*Tunkt eine Feder ein und will dazu schreiben.*)

Marie (*beide Arme über den Brief ausbreitend*). Herr Baron – (*Sie fangen an zu scheckern, sobald sie den Arm rückt, macht er Miene zu schreiben, nach vielem Lachen gibt sie ihm mit der nassen Feder eine große Schmarre übers Gesicht. Er läuft zum Spiegel, sich abzuwischen, sie schreibt fort.*)

Desportes. Ich belaure Sie doch. (*Er kommt näher, sie droht ihm mit der Feder, endlich steckt sie das Blatt in die Tasche, er will sie daran verhindern, sie ringen zusammen, Marie kützelt ihn, er macht ein erbärmliches Geschrei, bis er endlich halb atemlos auf den Lehnstuhl fällt.*)

Wesener (*tritt herein*). Na, was gibt's – die Leute von der Straße werden bald hereinkommen.

Marie (*erholt sich*). Papa, denkt doch, was der grobe Flegel, der Stolzius, mir für einen Brief schreibt, er nennt mich Ungetreue! Denk doch, als ob ich die Säue mit ihm gehütet hätte; aber ich will ihm antworten darauf, daß er sich nicht vermuten soll, der Grobian.

Wesener. Zeig mir her den Brief – ei sieh doch die Jungfer Zipfersaat – ich will ihn unten im Laden lesen. (*Ab.*)

(Jungfer Zipfersaat tritt herein.)

M a r i e *(hier und da launig herumknicksend)*. Jungfer
Zipfersaat, hier hab ich die Ehre, dir einen Baron zu
präsentieren, der sterblich verliebt in dich ist. Hier, Herr
Baron, ist die Jungfer, von der wir so viel gesprochen
haben, und in die Sie sich neulich in der Komödie so sterblich verschameriert haben.

J u n g f e r   Z i p f e r s a a t *(beschämt)*. Ich weiß nicht, wie
du bist, Mariel.

M a r i e *(einen tiefen Knicks)*. Jetzt können Sie Ihre Lie-
besdeklaration machen. *(Läuft ab, die Kammertür hinter
sich zuschlagend. Jungfer Zipfersaat ganz verlegen tritt
ans Fenster. Desportes, der sie verächtlich angesehen, paßt
auf Marien, die von Zeit zu Zeit die Kammertür ein wenig eröffnet. Endlich steckt sie den Kopf heraus: höhnisch.)* Na, seid ihr bald fertig?

*(Desportes sucht sich zwischen die Tür einzuklemmen, Marie
sticht ihn mit einer großen Stecknadel fort, er schreit und
läuft plötzlich heraus, um durch eine andere Tür in jenes
Zimmer zu kommen. Jungfer Zipfersaat geht ganz verdrüßlich fort, derweil das Geschrei und Gejauchz im Nebenzimmer fortwährt.*
*Weseners alte Mutter kriecht durch die Stube, die Brille auf
der Nase, setzt sich in eine Ecke des Fensters, und strickt und
singt, oder krächzt vielmehr mit ihrer alten rauhen Stimme.)*

> Ein Mädele jung ein Würfel ist,
> Wohl auf den Tisch gelegen:
> Das kleine Rösel aus Hennegau
> Wird bald zu Gottes Tisch gehen.

(Zählt die Maschen ab.)

> Was lächelst so froh mein liebes Kind,
> Dein Kreuz wird dir'n schon kommen.
> Wenn's heißt, das Rösel aus Hennegau
> Hab' nun einen Mann genommen.

> O Kindlein mein, wie tut's mir so weh,
> Wie dir dein Äugelein lachen,
> Und wenn ich die tausend Tränelein seh,
> Die werden dein Bäckelein waschen.

*(Indessen dauert das Geschecker im Nebenzimmer fort. Die
alte Frau geht hinein, sie zu berufen.)*

Dritter Akt

Erste Szene

In Armentieres.

Des Juden Haus.

R a m m l e r *(mit einigen verkleideten Leuten, die er stellt. Zum letzten).* Wenn jemand hineingeht, so huste – ich will mich unter die Treppe verstecken, daß ich ihm gleich nachschleichen kann. *(Verkriecht sich unter die Treppe.)*

A a r o n *(sieht aus dem Fenster).* Gad, was ein gewaltiger Camplat ist das unter meinem eignen Hause.

M a r y *(im Rocklor eingewickelt kommt die Gasse heran, bleibt unter des Juden Fenster stehen, und läßt ein subtiles Pfeifchen hören).*

A a r o n *(leise herab).* Sein Sie's, gnädiger Herr? *(Jener winkt.)* Ich werde soglach aufmachen.

M a r y *(geht die Treppe hinauf. Einer hustet leise. Rammler schleicht ihm auf den Zehen nach, ohne daß der sich umsieht. Der Jude macht die Türe auf, beide gehen hinein).*

(Der Schauplatz verwandelt sich in das Zimmer des Juden. Es ist stockdunkel. Mary und Aaron flüstern sich in die Ohren. Rammler schleicht immer von weitem herum, weicht aber gleich zurück, sobald jene eine Bewegung machen.)

M a r y. Er ist hier drinne.

A a r o n. O wai mer!

M a r y. Still nur, er soll Euch kein Leides tun, laßt mit Euch machen, was er will, und wenn er Euch auch knebelte, in einer Minute bin ich wieder bei Euch mit der Wache, es soll ihm übel genug bekommen. Legt Euch nur zu Bette.

A a r o n. Wenn er mich aber ams Leben bringt, he?

M a r y. Seid nur ohne Sorgen, ich bin im Augenblick wieder da. Er kann sonst nicht überführt werden. Die Wache steht hier unten schon parat, ich will sie nur hereinrufen. Legt Euch – *(Geht hinaus. Der Jude legt sich zu Bette. Rammler schleicht näher hinan.)*

A a r o n *(klappt mit den Zähnen).* Adonai! Adonai!

R a m m l e r *(vor sich).* Ich glaube gar, es ist eine Jüdin.

(Laut, indem er Marys Stimme nachzuahmen sucht.) Ach,
mein Schätzgen, wie kalt ist es draußen.

A a r o n *(immer leiser)*. Adonai!

R a m m l e r. Du kennst mich doch, ich bin dein Mann
nicht, ich bin Mary. *(Zieht sich Stiefel und Rock aus.)* Ich
glaube, wir werden noch Schnee bekommen, so kalt ist es.
*(Mary mit einem großen Gefolge Officieren mit Laternen
stürzen herein, und schlagen ein abscheulich Gelächter auf.
Der Jude richtet sich erschrocken auf.)*

H a u d y. Bist du toll geworden, Rammler, willst du mit
dem Juden Unzucht treiben?

R a m m l e r *(steht wie versteinert da. Endlich zieht er seinen Degen)*. Ich will euch in Kreuzmillionen Stücken zer-
hauen alle miteinander. *(Läuft verwirrt heraus. Die andern lachen nur noch rasender.)*

A a r o n. Ich bin wäs Gad halb tot gewesen. *(Steht auf.
Die andern laufen alle Rammler nach, der Jude folgt
ihnen.)*

Zweite Szene

Stolzius' Wohnung.

*Er sitzt mit verbundenem Kopf an einem Tisch, auf dem
eine Lampe brennt, einen Brief in der Hand, seine Mutter
neben ihm.*

M u t t e r *(die auf einmal sich ereifert)*. Willst du denn
nicht schlafen gehen, du gottloser Mensch! So red doch,
so sag, was dir fehlt, das Luder ist deiner nicht wert gewesen. Was grämst du dich, was wimmerst du um eine
solche – Soldatenhure.

S t o l z i u s *(mit dem äußersten Unwillen vom Tisch sich
aufrichtend)*. Mutter –

M u t t e r. Was ist sie denn anders – du – und du auch,
daß du dich an solche Menscher hängst.

S t o l z i u s *(faßt ihr beide Hände)*. Liebe Mutter, schimpft
nicht auf sie, sie ist unschuldig, der Officier hat ihr den
Kopf verrückt. Seht einmal, wie sie mir sonst geschrieben
hat. Ich muß den Verstand verlieren darüber. Solch ein
gutes Herz!

M u t t e r *(steht auf und stampft mit dem Fuß)*. Solch ein
Luder – Gleich zu Bett mit dir, ich befehl es dir. Was soll

daraus werden, was soll da herauskommen. Ich will dir
weisen, junger Herr, daß ich deine Mutter bin.
S t o l z i u s *(an seine Brust schlagend).* Mariel – nein, sie
ist es nicht mehr, sie ist nicht dieselbige mehr – *(Springt
auf.)* Laßt mich –
M u t t e r *(weint).* Wohin, du Gottsvergessener?
S t o l z i u s. Ich will dem Teufel, der sie verkehrt hat –
(Fällt kraftlos auf die Bank, beide Hände in die Höhe.)
O du sollst mir's bezahlen, du sollst mir's bezahlen. *(Kalt.)*
Ein Tag ist wie der andere, was nicht heut kommt, kommt
morgen, und was langsam kommt, kommt gut. Wie heißt's
in dem Liede, Mutter, wenn ein Vögelein von einem Berge
alle Jahr ein Körnlein wegtrüge, endlich würde es ihm
doch gelingen.
M u t t e r. Ich glaube, du phantasierst schon, *(greift ihm
an den Puls)* leg dich zu Bett, Karl, ich bitte dich um
Gottes willen. Ich will dich warm zudecken, was wird da
herauskommen, du großer Gott, das ist ein hitziges Fie-
ber – um solch eine Metze –
S t o l z i u s. Endlich – endlich – – alle Tage ein Sandkorn,
ein Jahr hat zehn zwanzig dreißig hundert *(Die Mutter
will ihn fortleiten.)* Laßt mich, Mutter, ich bin gesund.
M u t t e r. Komm nur, komm, *(ihn mit Gewalt fortschlep-
pend)* Narre! – Ich werd dich nicht loslassen, das glaub
mir nur. *(Ab.)*

Dritte Szene

In Lille.

Jungfer Zipfersaat. Eine Magd aus Weseners Hause.

J u n g f e r Z i p f e r s a a t. Sie ist zu Hause, aber sie läßt
sich nicht sprechen? Denk doch, ist sie so vornehm ge-
worden?
M a g d. Sie sagt, sie hat zu tun, sie liest in einem Buch.
J u n g f e r Z i p f e r s a a t. Sag Sie ihr nur, ich hätt' ihr
etwas zu sagen, woran ihr alles in der Welt gelegen ist.
(Marie kommt, ein Buch in der Hand. Mit nachlässigem Ton.)
M a r i e. Guten Morgen, Jungfer Zipfersaat. Warum hat
Sie sich nicht gesetzt?
J u n g f e r Z i p f e r s a a t. Ich kam, Ihr nur zu sagen,
daß der Baron Desportes diesen Morgen weggelaufen ist.

M a r i e. Was red'st du da? *(Ganz außer sich.)*

J u n g f e r   Z i p f e r s a a t. Sie kann es mir glauben, er ist meinem Vetter über die siebenhundert Taler schuldig geblieben, und als sie auf sein Zimmer kamen, fanden sie alles ausgeräumt, und einen Zettel auf dem Tisch, wo er ihnen schrieb, sie sollten sich keine vergebliche Mühe geben, ihm nachzusetzen, er hab' seinen Abschied genommen, und wolle in österreichische Dienste gehen.

M a r i e *(schluchzend läuft heraus und ruft).* Papa! Papa!

W e s e n e r *(hinter der Szene).* Na, was ist?

M a r i e. Komm Er doch geschwind herauf, lieber Papa!

J u n g f e r   Z i p f e r s a a t. Da sieht Sie, wie die Herren Officiers sind. Das hätt' ich Ihr wollen zum voraus sagen.

W e s e n e r *(kommt herein).* Na, was ist – Ihr Diener, Jungfer Zipfersaat.

M a r i e. Papa, was sollen wir anfangen? Der Desportes ist weggelaufen.

W e s e n e r. Ei sieh doch, wer erzählt dir denn so artige Histörchen.

M a r i e. Er ist dem jungen Herrn Seidenhändler Zipfersaat siebenhundert Taler schuldig geblieben, und hat einen Zettel auf dem Tisch gelassen, daß er in seinem Leben nicht nach Flandern wiederkommen will.

W e s e n e r *(sehr böse).* Was das ein gottloses verdammtes Gered' – *(Sich auf die Brust schlagend.)* Ich sag gut für die siebenhundert Taler, versteht Sie mich, Jungfer Zipfersaat? Und für noch einmal so viel, wenn Sie's haben will. Ich hab mit dem Hause über die dreißig Jahr verkehrt, aber das sind die gottsvergessenen Neider –

J u n g f e r   Z i p f e r s a a t. Das wird meinem Vetter eine große Freude machen, Herr Wesener, wenn Sie es auf sich nehmen wollen, den guten Namen vom Herrn Baron zu retten.

W e s e n e r. Ich geh mit Ihr, den Augenblick. *(Sucht seinen Hut.)* Ich will den Leuten das Maul stopfen, die sich unterstehen wollen, mir das Haus in übeln Ruf zu bringen, versteht Sie mich.

M a r i e. Aber, Papa – *(Ungeduldig.)* Oh, ich wünschte, daß ich ihn nie gesehen hätte. *(Wesener und Jungfer Zipfersaat gehen ab. Marie wirft sich in den Sorgstuhl, und nachdem sie eine Weile in tiefen Gedanken gesessen, ruft sie ängstlich.)* Lotte! – – Lotte!

(Charlotte kommt.)

C h a r l o t t e. Na, was willst du denn, daß du mich so rufst?

M a r i e *(geht ihr entgegen).* Lottgen – mein liebes Lottgen *(Ihr unter dem Kinn streichelnd.)*

C h a r l o t t e. Na, Gott behüt', wo kommt das Wunder?

M a r i e. Du bist auch mein allerbestes Scharlottel, du.

C h a r l o t t e. Gewiß will sie wieder Geld von mir leihen.

M a r i e. Ich will dir auch alles zu Gefallen tun.

C h a r l o t t e. Ei was, ich habe nicht Zeit. *(Will gehen.)*

M a r i e *(hält sie).* So hör doch – nur für einen Augenblick – kannst du mir nicht helfen einen Brief schreiben?

C h a r l o t t e. Ich habe nicht Zeit.

M a r i e. Nur ein paar Zeilen – ich laß dir auch die Perlen vor sechs Livres.

C h a r l o t t e. An wem denn?

M a r i e *(beschämt).* An den Stolzius.

C h a r l o t t e *(fängt an zu lachen).* Schlägt Ihr das Gewissen?

M a r i e *(halb weinend).* So laß doch –

C h a r l o t t e *(setzt sich an den Tisch).* Na, was willst ihm denn schreiben – Sie weiß, wie ungern ich schreib.

M a r i e. Ich hab so ein Zittern in den Händen – schreib so oben oder in einer Reihe, wie du willst – Mein liebwertester Freund.

C h a r l o t t e. Mein liebwertester Freund.

M a r i e. Dero haben in Ihrem letzten Schreiben mir billige Gelegenheit gegeben, da meine Ehre angegriffen.

C h a r l o t t e. Angegriffen.

M a r i e. Indessen müssen nicht alle Ausdrücke auf der Waagschale legen, sondern auf das Herz ansehen, das Ihnen – wart wie soll ich nun schreiben.

C h a r l o t t e. Was weiß ich?

M a r i e. So sag doch, wie heißt das Wort nun?

C h a r l o t t e. Weiß ich denn, was du ihm schreiben willst.

M a r i e. Daß mein Herz und – *(Fängt an zu weinen, und wirft sich in den Lehnstuhl. Charlotte sieht sie an und lacht.)*

C h a r l o t t e. Na, was soll ich ihm denn schreiben?

M a r i e *(schluchzend).* Schreib was du willst.

C h a r l o t t e *(schreibt und liest).* Daß mein Herz nicht so wankelmütig ist, als Sie es sich vorstellen – ist's so recht?

M a r i e *(springt auf, und sieht ihr über die Schulter).* Ja,
so ist's recht, so ist's recht. *(Sie umhalsend.)* Mein altes
Scharlottel, du

C h a r l o t t e. Na, so laß Sie mich doch ausschreiben.
*(Marie spaziert ein paarmal auf und ab, dann springt sie
plötzlich zu ihr, reißt ihr das Papier unter dem Arm weg,
und zerreißt's in tausend Stücken.)*

C h a r l o t t e *(in Wut).* Na, seht doch – ist das nicht ein
Luder – eben da ich den besten Gedanken hatte – aber so
eine Canaille ist sie.

M a r i e. Canaille vous même.

C h a r l o t t e *(droht ihr mit dem Dintenfaß).* Du –

M a r i e. Sie sucht einen noch mehr zu kränken, wenn man
schon im Unglück ist.

C h a r l o t t e. Luder! warum zerreißt du denn, da ich eben
im besten Schreiben bin.

M a r i e *(ganz hitzig).* Schimpf nicht!

C h a r l o t t e *(auch halb weinend).* Warum zerreißt du
denn?

M a r i e. Soll ich ihm denn vorlügen? *(Fängt äußerst heftig
an zu weinen, und wirft sich mit dem Gesicht auf einen
Stuhl.)*

*(Wesener tritt herein. Marie sieht auf und fliegt ihm an den
Hals.)*

M a r i e *(zitternd).* Papa, lieber Papa, wie steht's – um
Gottes willen, red Er doch.

W e s e n e r. So sei doch nicht so närrisch, er ist ja nicht
aus der Welt, sie tut ja wie abgeschmackt –

M a r i e. Wenn er aber fort ist –

W e s e n e r. Wenn er fort ist, so muß er wiederkommen,
ich glaube, sie hat den Verstand verloren, und will mich
auch wunderlich machen. Ich kenne das Haus seit länger
als gestern, sie werden doch das nicht wollen auf sich sitzen lassen. Kurz und gut, schick herauf zu unserm Nota-
rius droben, ob er zu Hause ist, ich will den Wechsel, den
ich für ihn unterschrieben habe, vidimieren lassen, zugleich
die Kopei von dem Promesse de Mariage und alles den
Eltern schicken.

M a r i e. Ach, Papa, lieber Papa! ich will gleich selber laufen, und ihn holen. *(Läuft über Hals und Kopf ab.)*

W e s e n e r. Das Mädel kann, Gott verzeih' mir, einem
Louis quatorze selber das Herz machen in die Hosen fal-

len. Aber schlecht ist das auch von Monsieur le Baron, ich will es bei seinem Herrn Vater schon für ihn kochen, wart du nur. – Wo bleibt sie denn? *(Geht Marien nach.)*

Vierte Szene

In Armentieres.

Ein Spaziergang auf dem eingegangenen Stadtgraben. Eisenhardt und Pirzel spazieren.

E i s e n h a r d t. Herr von Mary will das Semester in Lille zubringen, was mag das zu bedeuten haben? Er hat doch dort keine Verwandte, soviel ich weiß.

P i r z e l. Er ist auch keiner von denen, die es weghaben. Flüchtig, flüchtig – Aber der Obristlieutenant, das ist ein Mann.

E i s e n h a r d t *(beiseite)*. Weh mir, wie bring ich den Menschen aus seiner Metaphysik zurück – *(Laut.)* Um den Menschen zu kennen, müßte man meines Erachtens bei dem Frauenzimmer anfangen.

P i r z e l *(schüttelt mit dem Kopf).*

E i s e n h a r d t *(beiseite)*. Was die andern zuviel sind, ist der zu wenig. O Soldatenstand, furchtbare Ehlosigkeit, was für Karikaturen machst du aus den Menschen!

P i r z e l. Sie meinen, beim Frauenzimmer – das wär' grad, als ob man bei den Schafen anfinge. Nein, was der Mensch ist – *(Den Finger an die Nase.)*

E i s e n h a r d t *(beiseite)*. Der philosophiert mich zu Tode. *(Laut.)* Ich habe die Anmerkung gemacht, daß man in diesem Monat keinen Schritt vors Tor tun kann, wo man nicht einen Soldaten mit einem Mädchen karessieren sieht.

P i r z e l. Das macht, weil die Leute nicht denken.

E i s e n h a r d t. Aber hindert Sie das Denken nicht zuweilen im Exerzieren?

P i r z e l. Ganz und gar nicht, das geht so mechanisch. Haben doch die andern auch nicht die Gedanken beisammen, sondern schweben ihnen alleweile die schönen Mädgens vor den Augen.

E i s e n h a r d t. Das muß seltsame Bataillen geben. Ein ganzes Regiment mit verrückten Köpfen muß Wundertaten tun.

P i r z e l. Das geht alles mechanisch.

E i s e n h a r d t. Ja, aber Sie laufen auch mechanisch. Die
preußischen Kugeln müssen Sie bisweilen sehr unsanft aus
Ihren süßen Träumen geweckt haben. *(Gehen weiter.)*

Fünfte Szene

In Lille.

Marys Wohnung.

Mary. Stolzius als Soldat.

M a r y *(zeichnet, sieht auf).* Wer da, *(sieht ihn lang an
und steht auf)* Stolzius?

S t o l z i u s. Ja, Herr.

M a r y. Wo zum Element kommt Ihr denn her? und in
diesem Rock? *(Kehrt ihn um.)* Wie verändert, wie abge-
fallen, wie blaß? Ihr könntet mir's hundertmal sagen, ihr
wärt Stolzius, ich glaubt' es Euch nicht.

S t o l z i u s. Das macht der Schnurrbart, gnädiger Herr.
Ich hörte, daß Ew. Gnaden einen Bedienten brauchten,
und weil ich dem Herrn Obristen sicher bin, so hat er mir
die Erlaubnis gegeben, hierherzukommen, um allenfalls
Ihnen einige Rekruten anwerben zu helfen, und Sie zu
bedienen.

M a r y. Bravo! Ihr seid ein braver Kerl! und das gefällt
mir, daß ihr dem König dient. Was kommt auch heraus
bei dem Philisterleben. Und Ihr habt was zuzusetzen, Ihr
könnt honett leben, und es noch einmal weit bringen, ich
will für Euch sorgen, das könnt Ihr versichert sein.
Kommt nur, ich will gleich ein Zimmer für Euch be-
sprechen, Ihr sollt diesen ganzen Winter bei mir bleiben,
ich will es schon gut machen beim Obristen.

S t o l z i u s. Solang ich meine Schildwachten bezahle, kann
mir niemand was anhaben. *(Gehen ab.)*

Sechste Szene

Frau Wesenern. Marie. Charlotte.

Frau Wesenern. Es ist eine Schande, wie sie mit ihm umgeht. Ich seh keinen Unterschied, wie du dem Desportes begegnet bist, so begegnest du ihm auch.

Marie. Was soll ich denn machen, Mama? Wenn er nun sein bester Freund ist, und er uns allein noch Nachrichten von ihm verschaffen kann.

Charlotte. Wenn er dir nicht so viele Präsente machte, würdest du auch anders mit ihm sein.

Marie. Soll ich ihm denn die Präsente ins Gesicht zurückwerfen? Ich muß doch wohl höflich mit ihm sein, da er noch der einzige ist, der mit ihm korrespondiert. Wenn ich ihn abschrecke, da wird schön Dings herauskommen, er fängt ja alle Briefe auf, die der Papa an seinen Vater schreibt, das hört Sie ja.

Frau Wesenern. Kurz und gut, du sollst nun nicht ausfahren mit diesem, ich leid es nicht.

Marie. So kommen Sie denn mit, Mama! Er hat Pferd und Cabriolet bestellt, sollen die wieder zurückfahren?

Frau Wesenern. Was geht's mich an.

Marie. So komm du denn mit, Lotte – Was fang ich nun an? Mama, Sie weiß nicht, was ich alles ausstehe um Ihrentwillen.

Charlotte. Sie ist frech obenein.

Marie. Schweig du nur still.

Charlotte *(etwas leise für sich).* Soldatenmensch!

Marie *(tut als ob sie's nicht hörte, und fährt fort, sich vor dem Spiegel zu putzen).* Wenn wir den Mary beleidigen, so haben wir alles uns selber vorzuwerfen.

Charlotte *(laut, indem sie schnell zur Stube hinausgeht).* Soldatenmensch!

Marie *(kehrt sich um).* Seh Sie nur, Mama! *(Die Hände faltend.)*

Frau Wesener. Wer kann dir helfen, du machst es darnach.

(Mary tritt herein.)

Marie *(heitert schnell ihr Gesicht auf. Mit der größten Munterkeit und Freundlichkeit ihm entgegengehend).* Ihre Dienerin, Herr von Mary! Haben Sie wohl geschlafen?

Mary. Unvergleichlich, meine gnädige Mademoiselle! ich

habe das ganze gestrige Feuerwerk im Traum zum andern-
mal gesehen.

M a r i e. Es war doch recht schön.

M a r y. Es muß wohl schön gewesen sein, weil es Ihre
Approbation hat.

M a r i e. O ich bin keine Connoisseuse von den Sachen, ich
sage nur wieder, wie ich es von Ihnen gehört habe. *(Er
küßt ihr die Hand, sie macht einen tiefen Knicks.)* Sie
sehen uns hier noch ganz in Rumor; meine Mutter wird
gleich fertig sein.

M a r y. Madam Wesener kommen also mit?

F r a u W e s e n e r *(trocken)*. Wieso? Ist kein Platz für
mich da?

M a r y. O ja, ich steh hinten auf, und mein Kasper kann zu
Fuß vorangehen.

M a r i e. Hören Sie, Ihr Soldat gleicht sehr viel einem gewissen Menschen, den ich ehemals gekannt habe, und der
auch um mich angehalten hat.

M a r y. Und Sie gaben ihm ein Körbchen. Daran ist auch
der Desportes wohl schuld gewesen?

M a r i e. Er hat mir's eingetränkt.

M a r y. Wollen wir? *(Er bietet ihr die Hand, sie macht
ihm einen Knicks, und winkt auf ihre Mutter, er gibt Frau
Wesenern die Hand, und sie folgt ihnen.)*

Siebente Szene

In Philippeville.

D e s p o r t e s *(allein, ausgezogen, in einem grünen Zimmer, einen Brief schreibend, ein brennend Licht vor ihm.
Brummt indem er schreibt)*. Ich muß ihr doch das Maul
ein wenig schmieren, sonst nimmt das Briefschreiben kein
Ende, und mein Vater fängt noch wohl gar einmal einen
auf. *(Liest den Brief.)* »Ihr bester Vater ist böse auf mich,
daß ich ihn so lange aufs Geld warten lasse, ich bitte Sie,
besänftigen Sie ihn, bis ich eine bequeme Gelegenheit
finde, meinem Vater alles zu entdecken, und ihn zu der
Einwilligung zu bewegen, Sie, meine Geliebte, auf ewig
zu besitzen. Denken Sie, ich bin in der größten Angst, daß
er nicht schon einige von Ihren Briefen aufgefangen hat,
denn ich sehe aus Ihrem letzten, daß Sie viele an mich

müssen geschrieben haben, die ich nicht erhalten habe. Und das könnte uns alles verderben. Darf ich bitten, so schreiben Sie nicht eher an mich, als bis ich Ihnen eine neue Adresse geschickt habe, unter der ich die Briefe sicher erhalten kann.« *(Siegelt zu.)* Wenn ich den Mary recht verliebt in sie machen könnte, daß sie mich vielleicht vergißt. Ich will ihm schreiben, er soll nicht von meiner Seite kommen, wenn ich meine anbetungswürdige Marie werde glücklich gemacht haben, er soll ihr Cicisbeo sein, wart nur. *(Spaziert einigemal tiefsinnig auf und nieder, dann geht er heraus.)*

Achte Szene

In Lille.
Der Gräfin La Roche Wohnung.

Die Gräfin. Ein Bedienter.

G r ä f i n *(sieht nach ihrer Uhr)*. Ist der junge Herr noch nicht zurückgekommen?

B e d i e n t e r. Nein, gnädige Frau.

G r ä f i n. Gebt mir den Hauptschlüssel, und legt Euch schlafen. Ich werde dem jungen Herrn selber aufmachen. Was macht Jungfer Kathrinchen?

B e d i e n t e r. Sie hat den Abend große Hitze gehabt.

G r ä f i n. Geht nur noch einmal hinein, und seht, ob die Mademoiselle auch noch munter ist. Sagt ihr nur, ich gehe nicht zu Bett, um ein Uhr werde ich kommen, und sie ablösen. *(Bedienter ab.)*

G r ä f i n *(allein)*. Muß denn ein Kind seiner Mutter bis ins Grab Schmerzen schaffen? Wenn du nicht mein einziger wärst, und ich dir kein so empfindliches Herz gegeben hätte.

(Man pocht. Sie geht heraus, und kommt wieder herein mit ihm.)

J u n g e   G r a f. Aber, gnädige Mutter, wo ist denn der Bediente, die verfluchten Leute, wenn es nicht so spät wäre, ich ließ den Augenblick nach der Wache gehen, und ihm alle Knochen im Leibe entzweischlagen.

G r ä f i n. Sachte, sachte, mein Sohn. Wie, wenn ich mich nun gegen dich so übereilte, wie du gegen den unschuldigen Menschen.

J u n g e G r a f. Aber es ist doch nicht auszuhalten.

G r ä f i n. Ich selbst habe ihn zu Bette geschickt. Ist's nicht
genug, daß der Kerl den ganzen Tag auf dich passen
muß, soll er sich auch die Nachtruhe entziehen um deinet-
willen. Ich glaube, du willst mich lehren die Bedienten
anzusehen wie die Bestien.

J u n g e G r a f *(küßt ihr die Hand)*. Gnädige Mutter!

G r ä f i n. Ich muß ernsthaft mit dir reden, junger Mensch!
Du fängst an mir trübe Tage zu machen. Du weißt, ich
habe dich nie eingeschränkt, mich in alle deine Sachen
gemischt, als deine Freundin, nie als Mutter. Warum
fängst du mir denn jetzt an, ein Geheimnis aus deinen
Herzensangelegenheiten zu machen, da du doch sonst
keine deiner jugendlichen Torheiten vor mir geheimhiel-
test, und ich, weil ich selbst ein Frauenzimmer bin, dir
allezeit den besten Rat zu geben wußte. *(Sieht ihn steif
an.)* Du fängst an lüderlich zu werden, mein Sohn.

J u n g e G r a f *(ihr die Hand mit Tränen küssend)*. Gnädige Mutter, ich schwöre Ihnen, ich habe kein Geheimnis
für Sie. Sie haben mir nach dem Nachtessen mit Jungfer
Wesenern begegnet, Sie haben aus der Zeit und aus der
Art, mit der wir sprachen, Schlüsse gemacht – es ist ein
artig Mädchen, und das ist alles.

G r ä f i n. Ich will nichts mehr wissen. Sobald du Ursache
zu haben glaubst, mir was zu verhehlen – aber bedenk
auch, daß du hernach die Folgen deiner Handlungen nur
dir selber zuzuschreiben hast. Fräulein Anklam hat hier
Verwandte, und ich weiß, daß Jungfer Wesenern nicht in
dem besten Ruf steht, ich glaube, nicht aus ihrer Schuld,
das arme Kind soll hintergangen worden sein –

J u n g e G r a f *(kniend)*. Eben das, gnädige Mutter! eben
ihr Unglück – wenn Sie die Umstände wüßten, ja ich muß
Ihnen alles sagen, ich fühle, daß ich einen Anteil an dem
Schicksal des Mädchens nehme – und doch – wie leicht ist
sie zu hintergehen gewesen, ein so leichtes, offenes, un-
schuldiges Herz – es quält mich, Mama! daß sie nicht in
bessere Hände gefallen ist.

G r ä f i n. Mein Sohn, überlaß das Mitleiden mir. Glaube
mir, *(umarmt ihn)* glaube mir, ich habe kein härteres Herz
als du. Aber mir kann das Mitleiden nicht so gefährlich
werden. Höre meinen Rat, folge mir. Um deiner Ruhe
willen, geh nicht mehr hin, reis aus der Stadt, reis zu

Fräulein Anklam – und sei versichert, daß es Jungfer Wesenern hier nicht übel werden soll. Du hast ihr in mir ihre zärtlichste Freundin zurückgelassen – versprichst du mir das?

Junge Graf *(sieht sie lange zärtlich an).* Gut, Mama, ich verspreche Ihnen alles – Nur noch ein Wort, eh' ich reise. Es ist ein unglückliches Mädchen, das ist gewiß.

Gräfin. Beruhige dich nur. *(Ihm auf die Backen klopfend.)* Ich glaube dir's mehr, als du mir es sagen kannst.

Junge Graf *(steht auf und küßt ihr die Hand).* Ich kenne Sie – *(Beide gehen ab.)*

Neunte Szene

Frau Wesenern. Marie.

Marie. Laß sie nur sein, Mama! ich will ihn recht quälen.

Frau Wesener. Ach geh doch, was? er hat dich vergessen, er ist in drei Tagen nicht hier gewesen, und die ganze Welt sagt, er hab' sich verliebt in die kleine Madam Düval, da in der Brüssler Straße.

Marie. Sie kann nicht glauben, wie kompläsant der Graf gegen mich ist.

Frau Wesener. Ei was, der soll ja auch schon versprochen sein.

Marie. So quäl ich doch den Mary damit. Er kommt den Abend nach dem Nachtessen wieder her. Wenn uns doch der Mary nur einmal begegnen wollte mit seiner Madam Düval!

(Ein Bedienter tritt herein.)

Bedienter. Die Gräfin La Roche läßt fragen, ob Sie zu Hause sind?

Marie *(in der äußersten Verwirrung).* Ach Himmel, die Mutter vom Herrn Grafen – Sag Er nur – Mama, so sag Sie doch, was soll er sagen.

Frau Wesener *(will gehen).*

Marie. Sag Er nur, es wird uns eine hohe Ehre – Mama! Mama! so red Sie doch.

Frau Wesener. Kannst du denn das Maul nicht auftun? Sag Er, es wird uns eine hohe Ehre sein – wir sind zwar in der größten Unordnung hier.

M a r i e. Nein, nein, wart Er nur, ich will selber an den
Wagen herabkommen. *(Geht herunter mit dem Bedienten.
Die alte Wesenern geht fort.)*

Zehnte Szene

Die Gräfin La Roche und Marie, die wieder hereinkommen.

M a r i e. Sie werden verzeihen, gnädige Frau, es ist hier
alles in der größten Rappuse.
G r ä f i n. Mein liebes Kind, Sie brauchen mit mir nicht die
allergeringsten Umstände zu machen. *(Faßt sie an der
Hand, und setzt sich mit ihr aufs Kanapee.)* Sehen Sie
mich als Ihre beste Freundin an, *(sie küssend)* ich versichere Sie, daß ich den aufrichtigsten Anteil nehme an
allem, was Ihnen begegnen kann.
M a r i e *(sich die Augen wischend).* Ich weiß nicht, womit ich
die besondere Gnade verdient habe, die Sie für mich tragen.
G r ä f i n. Nichts von Gnade, ich bitte Sie. Es ist mir lieb,
daß wir allein sind, ich habe Ihnen viel, vieles zu sagen,
das mir auf dem Herzen liegt, und Sie auch manches zu
fragen. *(Marie sehr aufmerksam, die Freude in ihrem
Gesicht.)* Ich liebe Sie, mein Engel! ich kann mich nicht
enthalten, es Ihnen zu zeigen. *(Marie küßt ihr inbrunst-
voll die Hand.)* Ihr ganzes Betragen hat so etwas Offenes,
so etwas Einnehmendes, daß mir Ihr Unglück dadurch
doppelt schmerzhaft wird. Wissen Sie denn auch, meine
neue liebe Freundin, daß man viel, viel in der Stadt von
Ihnen spricht?
M a r i e. Ich weiß wohl, daß es allenthalben böse Zungen
gibt.
G r ä f i n. Nicht lauter böse, auch gute sprechen von Ihnen.
Sie sind unglücklich; aber Sie können sich damit trösten,
daß Sie sich Ihr Unglück durch kein Laster zugezogen.
Ihr einziger Fehler war, daß Sie die Welt nicht kannten,
daß Sie den Unterscheid nicht kannten, der unter den
verschiedenen Ständen herrscht, daß Sie die Pamela ge-
lesen haben, das gefährlichste Buch, das eine Person aus
Ihrem Stande lesen kann.
M a r i e. Ich kenne das Buch ganz und gar nicht.
G r ä f i n. So haben Sie den Reden der jungen Leute zuviel
getraut.

M a r i e. Ich habe nur einem zuviel getraut, und es ist noch nicht ausgemacht, ob er falsch gegen mich denkt.

G r ä f i n. Gut, liebe Freundin! aber sagen Sie mir, ich bitte Sie, wie kamen Sie doch dazu, über Ihren Stand heraus sich nach einem Mann umzusehen. Ihre Gestalt, dachten Sie, könnte Sie schon weiter führen, als Ihre Gespielinnen; ach liebe Freundin, eben das hätte Sie sollen vorsichtiger machen. Schönheit ist niemals ein Mittel, eine gute Heurat zu stiften, und niemand hat mehr Ursache zu zittern, als ein schön Gesicht. Tausend Gefahren mit Blumen überstreut, tausend Anbeter und keinen Freund, tausend unbarmherzige Verräter.

M a r i e. Ach, gnädige Frau, ich weiß wohl, daß ich häßlich bin.

G r ä f i n. Keine falsche Bescheidenheit. Sie sind schön, der Himmel hat Sie damit gestraft. Es fanden sich Leute über Ihren Stand, die Ihnen Versprechungen taten. Sie sahen gar keine Schwürigkeit, eine Stufe höher zu rücken, Sie verachteten Ihre Gespielinnen, Sie glaubten nicht nötig zu haben, sich andre liebenswürdige Eigenschaften zu erwerben, Sie scheuten die Arbeit, Sie begegneten jungen Mannsleuten Ihres Standes verächtlich, Sie wurden gehaßt. Armes Kind! wie glücklich hätten Sie einen rechtschaffenen Bürger machen können, wenn Sie diese fürtreffliche Gesichtszüge, dieses einnehmende bezaubernde Wesen, mit einem demütigen menschenfreundlichen Geist beseelt hätten, wie wären Sie von allen Ihresgleichen angebetet, von allen Vornehmen nachgeahmt und bewundert worden. Aber Sie wollten von Ihresgleichen beneidet werden. Armes Kind, wo dachten Sie hin, und gegen welch ein elendes Glück wollten Sie alle diese Vorzüge eintauschen? Die Frau eines Mannes zu werden, der um Ihrentwillen von seiner ganzen Familie gehaßt und verachtet würde. Und einem so unglücklichen Hazardspiel zu Gefallen Ihr ganzes Glück, Ihre ganze Ehre, Ihr Leben selber auf die Karte zu setzen. Wo dachten Sie hinaus? wo dachten Ihre Eltern hinaus? Armes betrogenes durch die Eitelkeit gemißhandeltes Kind! *(Drückt sie an ihre Brust.)* Ich wollte mein Blut hergeben, daß das nicht geschehen wäre.

M a r i e *(weint auf ihre Hand).* Er liebte mich aber.

G r ä f i n. Die Liebe eines Officiers, Marie — eines Menschen, der an jede Art von Ausschweifung, von Veränderung gewöhnt ist, der ein braver Soldat zu sein aufhört, sobald er ein treuer Liebhaber wird, der dem König schwört, es nicht zu sein, und sich dafür von ihm bezahlen läßt. Und Sie glaubten, die einzige Person auf der Welt zu sein, die ihn, trotz des Zorns seiner Eltern, trotz des Hochmuts seiner Familie, trotz seines Schwurs, trotz seines Charakters, trotz der ganzen Welt, treu erhalten wollten? Das heißt, Sie wollten die Welt umkehren. – – Und da Sie nun sehen, daß es fehlgeschlagen hat, so glauben Sie, bei andern Ihren Plan auszuführen, und sehen nicht, daß das, was Sie für Liebe bei den Leuten halten, nichts als Mitleiden mit Ihrer Geschichte, oder gar was Schlimmers ist. *(Marie fällt vor ihr auf die Knie, verbirgt ihr Gesicht in ihren Schoß, und schluchzt.)* Entschließ dich, bestes Kind! unglückliches Mädchen, noch ist es Zeit, noch ist der Abgrund zu vermeiden, ich will sterben, wenn ich dich nicht herausziehe. Lassen Sie sich alle Anschläge auf meinen Sohn vergehen, er ist versprochen, die Fräulein Anklam hat seine Hand und sein Herz. Aber kommen Sie mit in mein Haus, Ihre Ehre hat einen großen Stoß gelitten, das ist der einzige Weg, sie wiederherzustellen. Werden Sie meine Gesellschafterin, und machen Sie sich gefaßt, in einem Jahr keine Mannsperson zu sehen. Sie sollen mir meine Tochter erziehen helfen – kommen Sie, wir wollen gleich zu Ihrer Mutter gehen, und sie um Erlaubnis bitten, daß Sie mit mir fahren dürfen.

M a r i e *(hebt den Kopf rührend aus ihrem Schoß auf).* Gnädige Frau – es ist zu spät.

G r ä f i n *(hastig).* Es ist nie zu spät, vernünftig zu werden. Ich setze Ihnen tausend Taler zur Aussteuer aus, ich weiß, daß Ihre Eltern Schulden haben.

M a r i e *(noch immer auf den Knien halb rückwärts fallend, mit gefalteten Händen).* Ach, gnädige Frau, erlauben Sie mir, daß ich mich drüber bedenke – daß ich alles das meiner Mutter vorstelle.

G r ä f i n. Gut, liebes Kind, tun Sie Ihr Bestes – Sie sollen Zeitvertreib genug bei mir haben, ich will Sie im Zeichnen, Tanzen und Singen unterrichten lassen.

M a r i e *(fällt auf ihr Gesicht).* O gar zu, gar zu gnädige Frau!

G r ä f i n. Ich muß fort – Ihre Mutter würde mich in einem

wunderlichen Zustand antreffen. *(Geht schnell ab, sieht noch durch die Tür hinein nach Marien, die noch immer wie im Gebet liegt.)* Adieu, Kind! *(Ab.)*

Vierter Akt

Erste Szene

Mary. Stolzius.

M a r y. Soll ich dir aufrichtig sagen, Stolzius, wenn der Desportes das Mädchen nicht heuratet, so heurate ich's. Ich bin zum Rasendwerden verliebt in sie. Ich habe schon versucht, mir die Gedanken zu zerstreuen, du weißt wohl, mit der Düval, und denn gefällt mir die Wirtschaft mit dem Grafen gar nicht, und daß die Gräfin sie nun gar ins Haus genommen hat, aber alles das – verschlägt doch nichts, ich kann mir die Narrheit nicht aus dem Kopf bringen.

S t o l z i u s. Schreibt denn der Desportes gar nicht mehr?

M a r y. Ei freilich schreibt er. Sein Vater hat ihn neulich wollen zu einer Heurat zwingen, und ihn vierzehn Tage bei Wasser und Brot eingesperrt – – *(Sich an den Kopf schlagend.)* Und wenn ich noch so denke, wie sie neulich im Mondschein mit mir spazierenging, und mir ihre Not klagte, wie sie manchmal mitten in der Nacht aufspränge, wenn ihr die schwermütigen Gedanken einkämen, und nach einem Messer suchte.

S t o l z i u s *(zittert).*

M a r y. Ich fragte, ob sie mich auch liebte. Sie sagte, sie liebte mich zärtlicher, als alle ihre Freunde und Verwandten, und drückte meine Hand gegen ihre Brust.

S t o l z i u s *(wendet sein Gesicht gegen die Wand).*

M a r y. Und als ich sie um ein Schmätzchen bat, so sagte sie, wenn es in ihrer Gewalt stünde, mich glücklich zu machen, so täte sie es gewiß. So aber müßte ich erst die Erlaubnis vom Desportes haben. – *(Faßt Stolzius hastig an.)* Kerl, der Teufel soll mich holen, wenn ich sie nicht heurate, wenn der Desportes sie sitzenläßt.

Stolzius *(sehr kalt)*. Sie soll doch recht gut mit der
Gräfin sein.

Mary. Wenn ich nur wüßte, wie man sie zu sprechen bekommen könnte. Erkundige dich doch.

Zweite Szene

In Armentieres.

Desportes in der Prison. Haudy bei ihm.

Desportes. Es ist mir recht lieb, daß ich in Prison itzt
bin, so erfährt kein Mensch, daß ich hier sei.

Haudy. Ich will den Kameraden allen verbieten, es zu sagen.

Desportes. Vor allen Dingen, daß es nur der Mary
nicht erfährt.

Haudy. Und der Rammler. Der ohnedem so ein großer
Freund von dir sein will, und sagt, er ist mit Fleiß darum
ein paar Wochen später zum Regiment gekommen, um
dir die Anciennität zu lassen.

Desportes. Der Narr!

Haudy. O hör, neulich ist wieder ein Streich mit ihm
gewesen, der zum Fressen ist. Du weißt, der Gilbert lo-
giert bei einer alten krummen schielenden Witwe, bloß
um ihrer schönen Cousine willen, nun gibt er alle Wochen
der zu Gefallen ein Konzert im Hause, einmal besäuft
sich mein Rammler, und weil er meint, die Cousine schläft
dort, so schleicht er sich vom Nachtessen weg, und nach
seiner gewöhnlichen Politik oben auf in der Witwe Schlaf-
zimmer, zieht sich aus, und legt sich zu Bette. Die Witwe,
die sich auch den Kopf etwas warm gemacht hat, bringt
noch erst ihre Cousine, die auf der Nachbarschaft wohnt,
mit der Laterne nach Hause, wir meinen, unser Rammler
ist nach Hause gegangen, sie steigt hernach in ihr Zimmer
herauf, will sich zu Bett legen, und find't meinen Monsieur
da, der in der äußersten Konfusion ist. Er entschuldigt
sich, er habe die Gelegenheit vom Hause nicht gewußt, sie
transportiert ihn ohne viele Mühe wieder herunter, und
wir lachen uns über den Mißverstand die Bäuche fast
entzwei. Er bittet sie und uns alle um Gottes willen, doch
keinem Menschen was von der Historie zu sagen. Du
weißt nun aber, wie der Gilbert ist, der hat's nun alles

dem Mädel wiedererzählt, und die hat dem alten Weibe
steif und fest in den Kopf gesetzt, Rammler wäre verliebt
in sie. In der Tat hat er auch ein Zimmer in dem Hause
gemietet, vielleicht um sie zu bewegen, nicht Lärm davon
zu machen. Nun solltest du aber dein Himmelsgaudium
haben, ihn und das alte Mensch in Gesellschaft beisammen
zu sehen. Sie minaudiert und liebäugelt, und verzerrt ihr
schiefes runzlichtes Gesicht gegen ihn, daß man sterben
möchte, und er mit seiner roten Habichtsnase und den
stieren erschrocknen Augen – siehst du, es ist ein Anblick,
an den man nicht denken kann, ohne zu zerspringen.

Desportes. Wenn ich wieder frei werde, soll doch mein
erster Gang zu Gilbert sein. Meine Mutter wird nächstens
an den Obristen schreiben, das Regiment soll für meine
Schulden gut sagen.

Dritte Szene

In Lille.

Ein Gärtchen an der Gräfin La Roche Hause.

Die Gräfin *(in einer Allee)*. Was das Mädchen haben
mag, daß es so spät in den Garten hinausgegangen ist. Ich
fürchte, ich fürchte, es ist etwas Abgered'tes. Sie zeichnet
zerstreut, spielt die Harfe zerstreut, ist immer abwesend,
wenn ihr der Sprachmeister was vorsagt – still, hör ich
nicht jemand – ja, sie ist oben im Lusthause, und von der
Straße antwortet ihr jemand. *(Lehnt ihr Ohr an die grüne
Wand des Gartens.)*

(Hinter der Szene.)

Marys Stimme. Ist das erlaubt, alle Freunde, alles,
was Ihnen lieb war, so zu vergessen?

Mariens Stimme. Ach lieber Herr Mary, es tut mir
leid genug, aber es muß schon so sein. Ich versichere Ihnen,
die Frau Gräfin ist die scharmanteste Frau, die auf Gottes
Erdboden ist.

Mary. Sie sind ja aber wie in einem Kloster da, wollen
Sie denn gar nicht mehr in die Welt? Wissen Sie, daß Desportes geschrieben hat, er ist untröstlich, er will wissen,
wo Sie sind, und warum Sie ihm nicht antworten?

Marie. So? – Ach ich muß ihn vergessen, sagen Sie ihm
das, er soll mich nur auch vergessen.

M a r y. Warum denn? – Grausame Mademoiselle! ist das
erlaubt, Freunden so zu begegnen.

M a r i e. Es kann nun schon nicht anders sein – Ach Herr
Gott, ich höre jemand im Garten unten. Adieu, Adieu –
Flattieren Sie sich nur nicht – *(Kommt herunter.)*

G r ä f i n. So, Marie! ihr gebt euch Rendezvous?

M a r i e *(äußerst erschrocken)*. Ach, gnädige Frau – es war
ein Verwandter von mir – mein Vetter, und der hat nun
erst erfahren, wo ich bin –

G r ä f i n *(sehr ernsthaft)*. Ich habe alles gehört.

M a r i e *(halb auf den Knien)*. Ach Gott! so verzeihen Sie
mir nur diesmal.

G r ä f i n. Mädchen, du bist wie das Bäumchen hier im
Abendwinde, jeder Hauch verändert dich. Was denkst du
denn, daß du hier unter meinen Augen den Faden mit
dem Desportes wieder anzuspinnen denkst, dir Rendezvous mit seinen guten Freunden gibst. Hätt’ ich das gewußt, ich hätte mich deiner nicht angenommen.

M a r i e. Verzeihen Sie mir nur diesmal!

G r ä f i n. Ich verzeih es dir niemals, wenn du wider dein
eigen Glück handelst. Geh. *(Marie geht ganz verzweif-
lungsvoll ab.)*

G r ä f i n *(allein)*. Ich weiß nicht, ob ich dem Mädchen
ihren Roman fast mit gutem Gewissen nehmen darf. Was
behält das Leben für Reiz übrig, wenn unsre Imagination
nicht welchen hineinträgt, Essen, Trinken, Beschäftigun-
gen ohne Aussicht, ohne sich selbst gebildetem Vergnügen
sind nur ein gefristeter Tod. Das fühlt sie auch wohl, und
stellt sich nur vergnügt. Wenn ich etwas ausfindig machen
könnte, ihre Phantasei mit meiner Klugheit zu vereinigen,
ihr Herz, nicht ihren Verstand zu zwingen, mir zu folgen.

Vierte Szene

In Armentieres.

D e s p o r t e s *(im Prison, hastig auf- und abgehend, einen
Brief in der Hand)*. Wenn sie mir hierher kommt, ist mein
ganzes Glück verdorben – zu Schand und Spott bei allen
Kameraden. *(Setzt sich und schreibt.)* – – Mein Vater darf
sie auch nicht sehen –

Fünfte Szene

In Lille.

Weseners Haus.

Der alte Wesener. Ein Bedienter der Gräfin.

W e s e n e r. Marie fortgelaufen –! Ich bin des Todes.
(Läuft heraus. Der Bediente folgt ihm.)

Sechste Szene

Marys Wohnung.

Mary. Stolzius, der ganz bleich und verwildert dasteht.

M a r y. So laßt uns ihr nachsetzen zum tausend Element.
Ich bin schuld an allem. Gleich lauf hin und bring Pferde
her.
S t o l z i u s. Wenn man nur wissen könnte, wohin –
M a r y. Nach Armentieres. Wo kann sie anders hin sein.
(Beide ab.)

Siebente Szene

Weseners Haus.

*Frau Wesener und Charlotte in Kappen. Wesener kommt
wieder.*

W e s e n e r. Es ist alles umsonst. Sie ist nirgends ausfindig
zu machen. *(Schlägt in die Hände.)* Gott! – wer weiß, wo
sie sich ertränkt hat!
C h a r l o t t e. Wer weiß aber noch, Papa –
W e s e n e r. Nichts. Die Boten der Frau Gräfin sind wieder-
gekommen, und es ist noch keine halbe Stunde, daß man
sie vermißt hat. Zu jedem Tor ist einer herausgeritten,
und sie kann doch nicht aus der Welt sein in so kurzer
Zeit.

Achte Szene

In Philippeville.

D e s p o r t e s' J ä g e r *(einen Brief von seinem Herrn in der Hand).* Oh! da kommt mir ja ein schönes Stück Wildpret recht ins Garn hereingelaufen. Sie hat meinem Herrn geschrieben, sie würde grad' nach Philippeville zu ihm kommen, *(sieht in den Brief)* zu Fuß – o das arme Kind – ich will dich erfrischen.

Neunte Szene

In Armentieres.

Ein Konzert im Hause der Frau Bischof. Verschiedene Damen im Kreise um das Orchester, unter denen auch Frau Bischof und ihre Cousine. Verschiedene Officiere, unter denen auch Haudy, Rammler, Mary, Desportes, Gilbert, stehen vor ihnen und unterhalten die Damen.

M a d e m o i s e l l e   B i s c h o f *(zu Rammler).* Und Sie sind auch hier eingezogen, Herr Baron?

R a m m l e r *(verbeugt sich stillschweigend, und wird rot über und über).*

H a u d y. Er hat sein Logis im zweiten Stock genommen, grad' gegenüber Ihrer Frau Base Schlafkammer.

M a d e m o i s e l l e   B i s c h o f. Das hab ich gehört. Ich wünsche meiner Base viel Glück.

M a d a m e   B i s c h o f *(schielt und lächelt auf eine kokette Art).* He, he, he, der Herr Baron wäre wohl nicht eingezogen, wenn ihm nicht der Herr von Gilbert mein Haus so rekommandiert hätte. Und zum andern begegne ich allen meinen Herren auf eine solche Art, daß sie sich nicht über mich werden zu beklagen haben.

M a d e m o i s e l l e   B i s c h o f. Das glaub ich, Sie werden sich gut miteinander vertragen.

G i l b e r t. Es ist mit alledem so ein kleiner Haken unter den beiden, sonst wäre Rammler nicht hier eingezogen.

M a d a m e   B i s c h o f. So? *(Hält den Fächer vorm Gesicht.)* He he he, seiter wenn denn, meinten Sie Herr von Gilbert, seiter wenn denn?

H a u d y. Seit dem letzten Konzertabend, wissen Sie wohl, Madame.

R a m m l e r *(zupft Haudy)*. Haudy!

M a d a m e B i s c h o f *(schlägt ihn mit dem Fächer)*. Unartiger Herr Major! müssen Sie denn auch alles gleich herausplappern.

R a m m l e r. Madame! ich weiß gar nicht, wie wir so familiär miteinander sollten geworden sein, ich bitte mir's aus –

M a d a m e B i s c h o f *(sehr böse)*. So, Herr? und Sie wollen sich noch mausig machen, und zum andern müßten Sie sich das noch für eine große Ehre halten, wenn eine Frau von meinem Alter und von meinem Charakter sich familiär mit Ihnen gemacht hätte, und denk doch einmal, was er sich nicht einbild't, der junge Herr.

A l l e O f f i c i e r s. Ach Rammler – Pfui Rammler – das ist doch nicht recht, wie du der Madam begegnest.

R a m m l e r. Madame, halten Sie das Maul, oder ich brech Ihnen Arm und Bein entzwei, und werf Sie zum Fenster hinaus.

M a d a m e B i s c h o f *(steht wütend auf)*. Herr, komm Er – *(faßt ihn an Arm)* den Augenblick komm Er, probier Er, mir was Leids zu tun.

A l l e. In die Schlafkammer, Rammler, sie fodert dich heraus.

M a d a m e B i s c h o f. Wenn Er sich noch breitmacht, so werf ich Ihn zum Hause heraus, weiß Er das. Und der Weg zum Kommendanten ist nicht weit. *(Fängt an zu weinen.)* Denk doch, mir in meinem eigenen Hause Impertinenzien zu sagen, der impertinente Flegel –

M a d e m o i s e l l e B i s c h o f. Nun still doch, Bäslein, der Herr Baron hat es ja so übel nicht gemeint. Er hat ja nur gespaßt, so sei Sie doch ruhig.

G i l b e r t. Rammler, sei vernünftig, ich bitte dich. Was für Ehre hast du davon, ein alt Weib zu beleidigen.

R a m m l e r. Ihr könnt mir alle – *(Läuft heraus.)*

M a r y. Ist das nicht lustig, Desportes? Was fehlt dir? Du lachst ja nicht.

D e s p o r t e s. Ich hab erstaunende Stiche auf der Brust. Der Katharr wird mich noch umbringen.

M a r y. Ist das aber nicht zum Zerspringen mit dem Original? Sahst du, wie er braun und blau um die Nase ward für Ärgernis. Ein andrer würde sich lustig gemacht haben mit der alten Vettel.

      (Stolzius kommt herein und zupft Mary.)

M a r y. Was ist?

S t o l z i u s. Nehmen Sie doch nicht ungnädig, Herr Lieutenant! wollen Sie nicht auf einen Augenblick in die Kammer kommen?

M a r y. Was gibt's denn? Habt ihr wo was erfahren?

S t o l z i u s *(schüttelt mit dem Kopf)*.

M a r y. Nun denn — *(geht etwas weiter vorwärts)* so sagt nur hier.

S t o l z i u s. Die Ratten haben die vorige Nacht Ihr bestes Antolagenhemd zerfressen, eben als ich den Wäschschrank aufmachte, sprangen mir zwei, drei entgegen.

M a r y. Was ist daran gelegen? — Laßt Gift aussetzen.

S t o l z i u s. Da muß ich ein versiegeltes Zettelchen von Ihnen haben.

M a r y *(unwillig)*. Warum kommt Ihr mir denn just jetzt?

S t o l z i u s. Auf den Abend hab ich nicht Zeit, Herr Lieutenant — ich muß heute noch bei der Lieferung von den Montierungsstücken sein.

M a r y. Da habt Ihr meine Uhr, Ihr könnt ja mit meinem Petschaft zusiegeln. *(Stolzius geht ab — Mary tritt wieder zur Gesellschaft.)*

      (Eine Symphonie hebt an.)

D e s p o r t e s *(der sich in einen Winkel gestellt hat, für sich)*. Ihr Bild steht unaufhörlich vor mir — Pfui Teufel! fort mit den Gedanken. Kann ich dafür, daß sie so eine wird. Sie hat's ja nicht besser haben wollen. *(Tritt wieder zur andern Gesellschaft, und hustet erbärmlich.)*

M a r y *(steckt ihm ein Stück Lakritz in den Mund. Er erschrickt. Mary lacht)*.

Zehnte Szene

In Lille.

Weseners Haus.

Frau Wesener. Ein Bedienter der Gräfin.

F r a u   W e s e n e r. Wie? Die Frau Gräfin haben sich zu Bett gelegt vor Alteration? Vermeld Er unsern unter-

tänigsten Respekt der Frau Gräfin und der Fräulein, mein
Mann ist nach Armentieres gereist, weil ihm die Leute
alles im Hause haben versiegeln wollen wegen der Kau-
tion, und er gehört hat, daß der Herr von Desportes beim
Regiment sein soll. Und es tut uns herzlich leid, daß die
Frau Gräfin sich unser Unglück so zu Herzen nimmt.

Eilfte Szene

In Armentieres.

Stolzius *(geht vor einer Apothek' herum. Es regnet).*
Was zitterst du? – Meine Zunge ist so schwach, daß ich
fürchte, ich werde kein einziges Wort hervorbringen können. Er wird mir's ansehen – Und müssen denn die zittern, die Unrecht leiden, und die allein fröhlich sein, die
Unrecht tun! – – Wer weiß, zwischen welchem Zaun sie
jetzt verhungert. Herein, Stolzius. Wenn's nicht für ihn
ist, so ist's doch für dich. Und das ist ja alles, was du
wünschest – – *(Geht hinein.)*

Fünfter Akt

Erste Szene

Auf dem Wege nach Armentieres.

Wesener *(der ausruht).* Nein, keine Post nehm ich nicht,
und sollt' ich hier liegen bleiben. Mein armes Kind hat
mich genug gekostet, eh' sie zu der Gräfin kam, das
mußte immer die Staatsdame gemacht sein, und Bruder
und Schwester sollen's ihr nicht vorzuwerfen haben. Mein
Handel hat auch nun schon zwei Jahr' gelegen – wer
weiß, was Desportes mit ihr tut, was er mit uns allen
tut – denn bei ihm ist sie doch gewiß. Man muß Gott ver-
trauen – *(Bleibt in tiefen Gedanken.)*

Zweite Szene

M a r i e *(auf einem andern Wege nach Armentieres unter einem Baum ruhend, zieht ein Stück trockenes Brot aus der Tasche).* Ich habe immer geglaubt, daß man von Brot und Wasser allein leben könnte. *(Nagt daran.)* O hätt' ich nur einen Tropfen von dem Wein, den ich so oft aus dem Fenster geworfen – womit ich mir in der Hitze die Hände wusch – *(Kontorsionen.)* O das quält – – nun ein Bettel- mensch – *(Sieht das Stück Brot an.)* Ich kann's nicht essen, Gott weiß es. Besser verhungern. *(Wirft das Stück Brot hin, und rafft sich auf.)* Ich will kriechen, so weit ich komme, und fall ich um, desto besser.

Dritte Szene

In Armentieres.

Marys Wohnung.

Mary und Desportes sitzen beide ausgekleidet an einem kleinen gedeckten Tisch. Stolzius nimmt Servietten aus.

D e s p o r t e s. Wie ich dir sage, es ist eine Hure vom An- fang an gewesen, und sie ist mir nur darum gut gewesen, weil ich ihr Präsente machte. Ich bin ja durch sie in Schul- den gekommen, daß es erstaunend war, sie hätte mich um Haus und Hof gebracht, hätt' ich das Spiel länger getrie- ben. Kurzum, Herr Bruder, eh' ich's mich versehe, krieg ich einen Brief von dem Mädel, sie will zu mir kommen nach Philippeville. Nun stell dir das Spektakel vor, wenn mein Vater die hätte zu sehen gekriegt. *(Stolzius wechselt einmal ums andere die Servietten um, um Gelegenheit zu haben, länger im Zimmer zu bleiben.)* Was zu tun, ich schreib meinem Jäger, er soll sie empfangen, und ihr so lange Stubenarrest auf meinem Zimmer ankündigen, bis ich selber wieder nach Philippeville zurückkäme, und sie heimlich zum Regiment abholte. Denn sobald mein Vater sie zu sehen kriegte, wäre sie des Todes. Nun mein Jäger ist ein starker robuster Kerl, die Zeit wird ihnen schon lang werden auf einer Stube allein. Was der nun aus ihr macht, will ich abwarten, *(lacht höhnisch)* ich hab ihm

unter der Hand zu verstehen gegeben, daß es mir nicht
zuwider sein würde.

M a r y. Hör, Desportes, das ist doch malhonett.

D e s p o r t e s. Was malhonet, was willst du – Ist sie nicht
versorgt genug, wenn mein Jäger sie heuratet? Und für
so eine –

M a r y. Sie war doch sehr gut angeschrieben bei der Gräfin.
Und hol mich der Teufel, Bruder, ich hätte sie geheuratet,
wenn mir nicht der junge Graf in die Quer' gekommen
wäre, denn der war auch verflucht gut bei ihr angeschrieben.

D e s p o r t e s. Da hättest du ein schön Sauleder an den
Hals bekommen.

(Stolzius geht heraus.)

M a r y *(ruft ihm nach)*. Macht, daß der Herr seine Wein-
suppe bald bekommt – Ich weiß nicht, wie es kam, daß
der Mensch mit ihr bekannt ward, ich glaube gar, sie
wollte mich eifersüchtig machen, denn ich hatte eben ein
paar Tage her mit ihr gemault. Das hätt' alles noch nichts
zu sagen gehabt, aber einmal kam ich hin, es war in den
heißesten Hundstagen, und sie hatte eben wegen der Hitze
nur ein dünnes, dünnes Röckchen von Nesseltuch an,
durch das ihre schönen Beine durchschienen. Sooft sie
durchs Zimmer ging, und das Röckchen ihr so nachflat-
terte – hör, ich hätte die Seligkeit drum geben mögen, die
Nacht bei ihr zu schlafen. Nun stell dir vor, zu allem
Unglück muß den Tag der Graf hinkommen, nun kennst
du des Mädels Eitelkeit. Sie tat wie unsinnig mit ihm, ob
nun mich zu schagrinieren, oder weil solche Mädchens
gleich nicht wissen, woran sie sind, wenn ein Herr von
hohem Stande sich herabläßt, Ihnen ein freundlich Gesicht
zu weisen. *(Stolzius kommt herein, trägt vor Desportes
auf, und stellt sich totenbleich hinter seinen Stuhl.)* Mir
ging's wie dem überglühenden Eisen, das auf einmal kalt
wie Eis wird. *(Desportes schlingt die Suppe begierig in
sich.)* Aller Appetit zu ihr verging mir. Von der Zeit an
hab ich ihr nie wieder recht gut werden können. Zwar wie
ich hörte, daß sie von der Gräfin weggelaufen sei.

D e s p o r t e s *(im Essen)*. Was reden wir weiter von dem
Knochen? Ich will dir sagen, Herr Bruder, du tust mir
einen Gefallen, wenn du mir ihrer nicht mehr erwähnst.
Es ennuyiert mich, wenn ich an sie denken soll. *(Schiebt
die Schale weg.)*

S t o l z i u s *(hinter dem Stuhl, mit verzerrtem Gesicht).*
Wirklich?
        (Beide sehen ihn an voll Verwunderung.)
D e s p o r t e s *(hält sich die Brust).* Ich kriege Stiche –
Aye! –
M a r y *(steif den Blick auf Stolzius geheftet, ohne ein Wort
zu sagen).*
D e s p o r t e s *(wirft sich in einen Lehnstuhl).* – Aye! –
(Mit Kontorsionen) Mary! –
S t o l z i u s *(springt hinzu, faßt ihn an die Ohren, und
heftet sein Gesicht auf das seinige. Mit fürchterlicher
Stimme).* Marie! – Marie! – Marie!
        (Mary zieht den Degen, und will ihn durchbohren.)
S t o l z i u s *(kehrt sich kaltblütig um, und faßt ihm in den
Degen).* Geben Sie sich keine Mühe, es ist schon geschehen.
Ich sterbe vergnügt, da ich den mitnehmen kann.
M a r y *(läßt ihm den Degen in der Hand, und läuft her-
aus).* Hülfe! – Hülfe! –
D e s p o r t e s. Ich bin vergiftet.
S t o l z i u s. Ja, Verräter, das bist du – und ich bin Stol-
zius, dessen Braut du zur Hure machtest. Sie war meine
Braut. Wenn Ihr nicht leben könnt, ohne Frauenzimmer
unglücklich zu machen, warum wendet Ihr Euch an die,
die Euch nicht widerstehen können, die Euch aufs erste
Wort glauben. – Du bist gerochen, meine Marie! Gott
kann mich nicht verdammen. *(Sinkt nieder.)*
D e s p o r t e s. Hülfe! *(Nach einigen Verzuckungen stirbt
er gleichfalls.)*

Vierte Szene

*Wesener spaziert an der Lys in tiefen Gedanken. Es ist
Dämmerung. Eine verhüllte Weibsperson zupft ihn am Rock.*

W e s e n e r. Laß Sie mich – ich bin kein Liebhaber von
solchen Sachen.
D i e   W e i b s p e r s o n *(mit halb unvernehmlicher Stimme).* Um Gottes willen, ein klein Almosen, gnädiger Herr!
W e s e n e r. Ins Arbeitshaus mit Euch. Es sind hier der
lüderlichen Bälge die Menge, wenn man allen Almosen
geben sollte, hätte man viel zu tun.
W e i b s p e r s o n. Gnädiger Herr, ich bin drei Tage gewesen, ohne einen Bissen Brot in Mund zu stecken, haben

Sie doch die Gnade, und führen mich in ein Wirtshaus, wo ich einen Schluck Wein tun kann.

W e s e n e r. Ihr lüderliche Seele! schämt Ihr Euch nicht, einem honetten Mann das zuzumuten? Geht, lauft Euern Soldaten nach.

W e i b s p e r s o n *(geht fort, ohne zu antworten).*

W e s e n e r. Mich deucht, sie seufzte so tief. Das Herz wird mir so schwer. *(Zieht den Beutel hervor.)* Wer weiß, wo meine Tochter itzt Almosen heischt. *(Läuft ihr nach, und reicht ihr zitternd ein Stück Geld.)* Da hat Sie einen Gulden – aber bessere Sie sich.

W e i b s p e r s o n *(fängt an zu weinen). O Gott! (Nimmt das Geld und fällt halb ohnmächtig nieder.)* Was kann mir das helfen?

W e s e n e r *(kehrt sich ab und wischt sich die Augen. Zu ihr ganz außer sich).* Wo ist Sie her?

W e i b s p e r s o n. Das darf ich nicht sagen – Aber ich bin eines honetten Mannes Tochter.

W e s e n e r. War Ihr Vater ein Galanteriehändler?

W e i b s p e r s o n *(schweigt stille).*

W e s e n e r. Ihr Vater war ein honetter Mann? – Steh Sie auf, ich will Sie in mein Haus führen. *(Sucht ihr aufzuhelfen.)*

W e s e n e r. Wohnt ihr Vater nicht etwan in Lille – *(Beim letzten Wort fällt sie ihm um den Hals.)*

W e s e n e r *(schreit laut).* Ach meine Tochter!

M a r i e. Mein Vater! *(Beide wälzen sich halbtot auf der Erde. Eine Menge Leute versammlen sich um sie, und tragen sie fort.)*

Fünfte und letzte Szene

Des Obristen Wohnung.

Der Obriste Graf von Spannheim. Die Gräfin La Roche.

G r ä f i n. Haben Sie die beiden Unglücklichen gesehen? Ich habe das Herz noch nicht. Der Anblick tötete mich.

O b r i s t e r. Er hat mich zehn Jahre älter gemacht. Und daß das bei meinem Corps – ich will dem Mann alle seine Schulden bezahlen, und noch tausend Taler zu seiner Schadloshaltung obenein. Hernach will ich sehen, was ich

bei dem Vater des Bösewichts für diese durch ihn verwüstete Familie auswirken kann.

G r ä f i n. Würdiger Mann! nehmen Sie meinen heißesten
Dank in dieser Träne – das beste liebenswürdigste Geschöpf! was für Hoffnungen fing ich nicht schon an von
ihr zu schöpfen. *(Sie weint.)*

O b r i s t e r. Diese Tränen machen Ihnen Ehre. Sie erweichen auch mich. Und warum sollte ich nicht weinen, ich,
der fürs Vaterland streiten und sterben soll; einen Bürger
desselben durch einen meiner Untergebenen mit seinem
ganzen Hause in den unwiederbringlichsten Untergang
gestürzt zu sehen.

G r ä f i n. Das sind die Folgen des ehlosen Standes der
Herren Soldaten.

O b r i s t e r *(zuckt die Schultern)*. Wie ist dem abzuhelfen?
Schon Homer hat, deucht mich, gesagt, ein guter Ehmann
sei ein schlechter Soldat. Und die Erfahrung bestätigt's.
– Ich habe allezeit eine besondere Idee gehabt, wenn ich
die Geschichte der Andromeda gelesen. Ich sehe die Soldaten an wie das Ungeheuer, dem schon von Zeit zu Zeit
ein unglückliches Frauenzimmer freiwillig aufgeopfert
werden muß, damit die übrigen Gattinnen und Töchter
verschont bleiben.

G r ä f i n. Wie verstehen Sie das?

O b r i s t e r. Wenn der König eine Pflanzschule von Sol-
datenweibern anlegte; die müßten sich aber freilich denn
schon dazu verstehen, den hohen Begriffen, die sich ein
junges Frauenzimmer von ewigen Verbindungen macht,
zu entsagen.

G r ä f i n. Ich zweifle, daß sich ein Frauenzimmer von Ehre
dazu entschließen könnte.

O b r i s t e r. Amazonen müßten es sein. Eine edle Empfin-
dung, deucht mich, hält hier der andern die Waage. Die
Delikatesse der weiblichen Ehre dem Gedanken, eine Mär-
tyrerin für den Staat zu sein.

G r ä f i n. Wie wenig kennt ihr Männer doch das Herz und
die Wünsche eines Frauenzimmers.

O b r i s t e r. Freilich müßte der König das beste tun, diesen
Stand glänzend und rühmlich zu machen. Dafür ersparte
er die Werbegelder, und die Kinder gehörten ihm. O ich
wünschte, daß sich nur einer fände, diese Gedanken bei
Hofe durchzutreiben, ich wollte ihm schon Quellen ent-

decken. Die Beschützer des Staats würden sodann auch sein Glück sein, die äußere Sicherheit desselben, nicht die innere aufheben, und in der bisher durch uns zerrütteten Gesellschaft Fried' und Wohlfahrt aller und Freude sich untereinander küssen.

Die Schlußszene in der ersten Fassung

Lenz hatte für den Druck auf Anregung Herders die letzte Szene geändert. Die ursprüngliche Fassung in der Handschrift lautet nach der Wiedergabe in: Jakob Michael Reinhold Lenz, Gesammelte Schriften. Herausgegeben von Franz Blei. Dritter Band. München und Leipzig 1910:

Fünfte und letzte Szene

Des Obristen Wohnung.

Der Obriste Graf von Spannheim. Die Gräfin La Roche.

G r ä f i n. Haben Sie die beiden Unglücklichen gesehen? Ich habe das Herz noch nicht. Der Anblick tötete mich.

O b r i s t e r. Er hat mich zehn Jahre älter gemacht. Und daß das bei meinem Corps soll geschehen sein. – Aber gnädige Frau! was kann man da machen. Es ist das Schicksal des Himmels über gewisse Personen – Ich will dem Mann alle seine Schulden bezahlen und noch tausend Taler zur Schadloshaltung obenein. Hernach will ich sehen, was ich bei dem Vater des Bösewichts für diese durch ihn verwüstete und verheerte Familie auswirken kann.

G r ä f i n. Würdiger Mann! Nehmen Sie meinen heißesten Dank in diesen Tränen. Ich habe alles getan, das unglückliche Schlachtopfer zu retten – sie wollte nicht.

O b r i s t e r. Ich wüßt' ihr keinen anderen Rat, als daß sie Beguine würde. Ihre Ehre ist hin, kein Mensch darf sich, ohne zu erröten, ihrer annehmen. Obschon sie versichert, sie sei den Gewalttätigkeiten des verwünschten Jägers noch entkommen. Oh, gnädige Frau, wenn ich Gouverneur wäre, der Mensch müßte mir hängen –

G r ä f i n. Das beste liebenswürdigste Geschöpf – ich versichere Ihnen, daß ich anfing, die größten Hoffnungen von ihr zu schöpfen. *(Sie weint.)*

O b r i s t e r. Diese Tränen machen Ihnen Ehre, gnädige Frau! Sie erweichen auch mich. Und warum sollte ich nicht weinen, ich, der fürs Vaterland streiten und sterben soll,

einen Bürger desselben durch einen meiner Untergebenen
mit seinem ganzen Hause in den unvermeidlichsten Untergang gestürzt zu sehen.

G r ä f i n. Das sind die Folgen des ehlosen Standes der
Herren Soldaten.

O b r i s t e r *(zuckt die Achseln)*. Wie ist dem abzuhelfen?
Wissen Sie denn nicht, gnädige Frau, daß schon Homer
gesagt hat, ein guter Ehmann sei immer auch ein schlechter Soldat.

G r ä f i n. Ich habe allezeit eine besondere Idee gehabt,
wenn ich die Geschichte der Andromeda gelesen. Ich sehe
die Soldaten an wie das Ungeheuer, dem schon von Zeit
zu Zeit ein unglückliches Frauenzimmer freiwillig aufgeopfert werden muß, damit die übrigen Gattinnen und
Töchter verschont bleiben.

O b r i s t e r. Ihre Idee ist lange die meinige gewesen, nur
habe ich sie nicht so schön gedacht. Der König müßte dergleichen Personen besolden, die sich auf die Art dem
äußersten Bedürfnis seiner Diener aufopferten, denn
kurzum, den Trieb haben doch alle Menschen, dieses wären keine Weiber, die die Herzen der Soldaten feig
machen könnten, es wären Konkubinen, die allenthalben
in den Krieg mitzögen und allenfalls wie jene Medischen
Weiber unter dem Cyrus die Soldaten zur Tapferkeit aufmuntern würden.

G r ä f i n. Oh, daß sich einer fände, diese Gedanken bei
Hofe durchzutreiben! Dem ganzen Staat würde geholfen
sein.

O b r i s t e r. Und Millionen Unglückliche weniger. Die
durch unsere Unordnungen zerrüttete Gesellschaft würde
wieder aufblühen und Fried' und Wohlfahrt aller und
Ruhe und Freude sich untereinander küssen.

Nachwort

Wenige Jahre vor seinem Tod stößt Georg Büchner auf unbekannte Materialien zur Biographie von Lenz: Briefe, Notizen und Dokumente, darunter den Bericht des elsässischen Pfarrers Oberlin über den Ausbruch des Wahnsinns bei Lenz. Büchner ist so beeindruckt von dem Schicksal des unglücklichen Dichters, daß er sich hinsetzt und den Krankheitsverlauf in einer Erzählung *Lenz* beschreibt, die die Literaturgeschichte zu den eindringlichsten Prosaleistungen unserer Sprache rechnet. Das ein halbes Jahrhundert zurückliegende Ereignis wird zum Gegenstand einer ergreifenden psychologischen Studie, in der Eigenes und Fremdes, Lenzsche Eigenart und Büchners Anliegen sich verbinden.

Fünfzig Jahre nach Büchner wird Lenz wieder zum erregenden Erlebnis: in der Zeit des Naturalismus. Die jungen revolutionären Dichter spüren die Verwandtschaft mit dem Stürmer und Dränger. Sie lesen gemeinsam seine Werke, setzen seine Worte als Leitspruch über ihre Anthologien und diskutieren seine sozialkritischen Ideen. Die Stücke des jungen Hauptmann weisen aus, wieviel diese Richtung Lenz verdankt. Ein weiteres halbes Jahrhundert später greift Bertolt Brecht auf Lenz zurück und setzt die Linie seiner Wirkung fort. Er bearbeitet den *Hofmeister*, neben den *Soldaten* das wichtigste Drama von Lenz, gibt genaue Szenenanalysen, die im 11. Heft der *Versuche* zu lesen sind, und führt das Stück mit seinem »Berliner Ensemble« zu einem großen Theatererfolg. Wieder fügt sich Eigenes und Fremdes zu einer beständigen Verbindung zusammen.

Jakob Michael Reinhold Lenz (* 12. Januar 1751 in Seßwegen, Livland), der zum Anlaß dieser Folge fruchtbarer Begegnungen wurde, erscheint als die reinste Verkörperung des Sturm und Drang. Weit mehr als Goethe, Schiller und Klinger, für die diese Zeit nur ein Abschnitt in ihrem Leben und Schaffen ist, fällt Lenz' Dasein mit dem Sturm und Drang zusammen und – erschöpft sich in ihm. Als ein »vorübergehender Meteor« zieht er nach Goethes Worten über den Horizont der deutschen Literatur, so plötzlich ver-

schwindend, wie er auftauchte. Sein Wirken steht mit seiner
Epoche in innigster Verbindung. Erst von diesem Hinter-
grund heben sich die eigenen Konturen ab.

Der Sturm und Drang ist die erste revolutionäre Jugend-
bewegung in der deutschen Literatur. Als solche ist sie zum
Modell für alle späteren Erhebungen der Jugend geworden.
Sie ist der Protest der Zwanzigjährigen gegen die Fünfzig-
und Sechzigjährigen. Träger der Revolte sind vor allem
Studenten. Fast gleichzeitig bilden sich in den Universitäts-
städten Göttingen und Straßburg Zentren der jungen Literatur. In Göttingen (Göttinger Hain) kommt es 1772 zu einem
schon burschenschaftlich anmutenden Zusammenschluß mit
Betonung des Nordisch-Germanischen, in Straßburg zu einer
freieren, großzügigeren Vereinigung Gleichgesinnter. Lenz
trifft – als Theologiestudent von Königsberg kommend – auf
die Straßburger Gruppe um Goethe, Herder, Stilling. Er
schließt sich ihr an und wird bald einer ihrer eifrigsten Ver-
künder. Der Protest der jungen um die Jahrhundertmitte
geborenen Generation richtet sich gegen das Gesetzesdenken
der Aufklärung und die Verspieltheit des Rokoko. Frucht-
bares Chaos soll an die Stelle von Ordnung, organische
Natur an die Stelle rationaler Konstruktion, Inhalt an die
Stelle von Form treten. »Natur, Natur«, ist jedes zweite
Wort, jedes dritte »Genie« und »Schöpferkraft«. Die Kunst-
leistungen der Gotik, der Renaissance, vor allem Shake-
speares und Rousseaus werden als formlose »Natur« schöp-
ferisch mißverstanden und zu Vorbildern erhoben. Die Dy-
namik der Stürmer und Dränger sucht sich neben der Lyrik
im Drama Ausdruck. Hier können die Kräfte sich frei ent-
falten. Von Goethe, Herder und Gerstenberg beeinflußt,
entwickelt Lenz in seinen *Anmerkungen übers Theater* die
eigentliche Dramaturgie der Sturm und Drang. Als Haupt-
gegner erscheint die durch die Frühaufklärung gestärkte
aristotelische Dramenlehre. Die drei Einheiten – Einheit des
Orts, der Zeit, der Handlung – werden als mechanische
Beschränkungen des naturhaften, organischen Lebens – Les-
singsche Ansätze radikalisierend – verworfen. An die Stelle
der »jämmerlich berühmten Bulle der drei Einheiten« soll
die poetische, die innere Einheit treten. Ebenso heftig wendet sich Lenz gegen die Ansicht des Aristoteles und seiner
aufklärerischen Anhänger, daß die Handlung im Drama das
Wichtigste sei. Statt dessen forderte er, um der Naturwahr-

heit möglichst nahezukommen, den Vorrang der Charakter-
darstellung, das Hervorheben des »Charakteristischen«.
Die Folgerungen dieser antiaristotelischen Dramaturgie zieht
Lenz wie Goethe, Klinger, Wagner, Maler Müller in seinen
Dramen. *Der Hofmeister* spielt an zehn verschiedenen
Schauplätzen, *Die Soldaten* an noch mehr, nur durch die
beiden Hauptorte zusammengehalten. Zeitlich erstrecken sich
die Dramen von Lenz meist über mehrere Monate, zum Teil
Jahre. Die Einheit der Handlung wird durch Nebenhand-
lungen (besonders im *Hofmeister*, was Brecht durch Paralle-
lisierung ändert) und durch Atomisierung der Haupthand-
lung in eine kleinteilige Szenenfolge aufgehoben. Die Teile
des Werks gewinnen wie in der Epik an Selbständigkeit, das
Drama nähert sich dem »epischen Theater«. Die Weite, Aus-
gedehntheit des Lebens soll durch Augenblicksbilder fest-
gehalten werden. Die Abkehr vom äußeren Regelzwang der
Aufklärung ermöglicht es, der Psychologie der Gestalten
breiten Raum zu widmen, die Figuren naturhaft zu schauen
und darzustellen, wie die Hauptrollen im *Götz*, dem *Hofmeister*, den *Soldaten* und den *Räubern* zeigen. Das Natür-
liche wird häufig bereits zum Naturalistischen gesteigert,
indem das Häßliche und Widerwärtige ausdrücklich mit ein-
geschlossen werden. Lenz betont, daß er auch für den »Pöbel«
schreibe und daß er das Unangenehme um der Wahrheit
willen nicht auslassen könne. Er nennt sich den »stinkenden
Atem des Volkes«. Diese Tendenz drückt sich gleichermaßen
in der Sprache aus, die bewußt »rauh« ist, weil die »rauhen
Sprachen reicher sind als die gebildeten«.
Die Gleichheit der Bestrebungen und des Geistes führt in
vielen Fällen zu verwandten Ergebnissen. In der Sponta-
neität des Schaffens sind Anreger und Vollender, Schöpfer
und Epigonen kaum zu unterscheiden. Diese Literatur trägt
ausgesprochen kollektive Züge. Bis heute ist es nicht gelun-
gen, in dem Sesenheimer Liederbuch, das die Gedichte auf
Friederike Brion enthält, den Anteil von Goethe und Lenz
zu trennen. *Der Hofmeister* wurde für ein Werk Goethes,
Die Soldaten wurden für eine Arbeit Klingers gehalten. Der
Themenkreis ist erstaunlich klein. So kehrt das Motiv des
verführten Bürgermädchens immer wieder *(Faust, Kinder-
mörderin, Soldaten)* oder das Thema der Brüderrivalität
(Zwillinge, Räuber).
Dennoch sind die Eigentümlichkeiten der Lenzschen Diktion

unverkennbar. Wie kein anderer Stürmer und Dränger hat er den Mut und die Veranlagung zum gesellschaftskritischen Zeitstück. Während Goethe und Klinger Analogien in anderen Jahrhunderten und Ländern suchen, stellt Lenz seine soziale Zeitkritik in direkter, hautnaher Form dar. Der Mißbrauch des Hofmeisterstandes, die Verdorbenheit des Offizierkorps, die Genußsucht des Zeitalters *(Der neue Menoza)* werden ohne Verhüllungen kritisiert. Lenz geht von eigenen Erlebnissen als Hofmeister und Offiziersbegleiter aus und verkleidet sie so wenig, daß er fürchten muß, angeklagt zu werden. Es ist sein erklärtes Ziel, »die Stände darzustellen, wie sie sind« und dem »Verderbnis der Sitten entgegenzuarbeiten, das von den glänzenden zu den niedrigen Ständen hinabschleicht«. Er gibt in den Stücken selbst und auch außerhalb Anweisungen, wie die Schäden durch Reformen zu beheben sind. Als Pendant zu den *Soldaten* (1776) verfaßt er eine Schrift *Über die Soldatenehen,* die er dem Herzog Karl August in Weimar vorlegen will. Diese sozialkritische Bestimmtheit der Lenzschen Dramen bildet einen der Ansatzpunkte für die späteren Rückgriffe Büchners, Hauptmanns und Brechts.

Im Gegensatz zu den übrigen Sturm-und-Drang-Dramatikern spielen bei Lenz die großen »Kerls«, die Titanen- und Prometheus-Gestalten keine wesentliche Rolle. Im Gegenteil: der Hofmeister Läuffer und der Tuchhändler Stolzius erscheinen als unglückliche Opfer der Gesellschaft, in der sie leben. Sie weisen in dem passiv erduldeten Schicksal mehr Züge des späteren Woyzeck als der gleichzeitigen Figuren Klingers auf. Sie stehen den herrschenden Ständen zur beliebigen Verfügung, werden getreten und geschunden und können sich nur durch Selbstentmannung im einen und Selbstmord im anderen Fall helfen. Die Verhältnisse erweisen sich als übermächtig. Hier enthüllt sich ein größeres Wissen um tragische Möglichkeiten, als der Kraftmeierei zugänglich sein konnte. Dem widerspricht nicht, daß daneben der Humor und die Komik einen großen Raum in Lenz' Arbeiten einnehmen. Er ist der einzige Stürmer und Dränger, der sich für die Komödie nachhaltig einsetzt. Er überträgt *Verlorene Liebesmüh* von Shakespeare und eine Reihe von Plautus-Stücken, die man gerne aufgeführt sehen möchte. In Lenz' Dramen entfaltet sich die Komik in allen Spielarten vom Anmutigen zum Ironischen, von der Posse zum Grotesken, nicht immer in gelungener Verbindung zum tragischen Untergrund.

Es ist kein Zweifel: Lenz war in den verschiedensten Richtungen reich begabt, vielfältiger ausgestattet als der einseitige, kühle Klinger. Goethe, Tieck, Hebbel, soviel sie an ihm kritisieren mochten, mußten zugeben, daß hier aus »unerschöpflicher Produktivität«, aus »wahrhafter Tiefe«, aus »Kraft, Mannigfaltigkeit, Stärke des Humors und Menschenkenntnis« gedichtet wurde. Aber es war nur für eine kurze Zeit, kaum für fünf Jahre. Eruptiv schrieb Lenz in dieser Zeit ein Werk nach dem anderen, manches vollendend, mehr noch fragmentarisch. Er versuchte in Weimar Fuß zu fassen. Aber er übersah, daß sich hier die Straßburger Zeit nicht fortsetzen ließ. Goethe begann sich zu wandeln. Lenz vermochte ihm nicht mehr zu folgen. Die Wendung zur Klassik gelang ihm nicht. Er zerbrach an Goethe, wie er vorher durch ihn gehoben worden war. Es begann die Zeit des Wahnsinns. Lenz eröffnete die Reihe der unglücklichen Dichter: Hölderlin, Lenau, Meyer, Nietzsche. Vierzehn Jahre lebte er noch dahin, erst in seiner livländischen Heimat, dann in Rußland. In der Nacht vom 23. auf den 24. Mai 1792 fand man ihn tot in einer Straße Moskaus.

Manfred Windfuhr